가야에서 보낸 하루

글 김향금 | 그림 이희은

웅진주니어 X 국립중앙박물관
National Museum of Korea

말 타고 가야 거리를 달려 볼까?

우리는 가야로 간다.

이 책은 우리가 함께 떠나는 가야 여행기이다. '어느 푸르른 가을날, 가야에서 하루를 보낸다면?'이라는 가정 아래, 가야를 돌아다닌 기록이다.

우리가 가야로 떠나는 이유는 분명하다. 가야는 고구려, 백제, 신라와 더불어 520여 년 동안 한반도 남부에 버젓이 있었던 나라. 그런데도 정작 우리는 가야에 대해서 아는 사실이 거의 없기 때문이다.

바람결에 들리는 소문으로는 쇠가 많이 나는 나라였다고도 하고, 바닷길로 교역을 활발하게 했다고도 한다.

흔히 가야를 '잊힌 왕국'이라고 한다. 고작 백제와 고구려보다 100년 먼저 사라졌을 뿐인데도 말이다. 어쩌면 우리가 한반도 역사라는 무대에서 가야의 손을 무심코 놓아 버린 탓은 아닐까.

두 발로 뛰며 가야의 모든 것을 알아내야겠다. 가야가 어떤 나라인지, 가야 사람들은 무슨 일을 잘하는지, 가야 사람들은 무얼 먹고 사는지 자못 궁금하다.

무엇보다 삼국과는 다른 가야인의 정체성이 궁금하다. 통일된 왕국을 이루지 못하고 흩어져 있다가 사라져 버린 가야라고 하지만, 그들끼리 통하는 가야인의 공통점이 있을 것이다. 가야 사람임을 알려 주는 '가야인의 신분증'에는 어떤 어떤 항목이 들어가 있을까? 그 점이 제일 궁금하다.

여행은 매일 접하는 일상으로부터 벗어나 낯선 곳으로 떠나는 행위이다. 천 년 하고도 육백여 년을 거슬러 가는 '역사'라는 요소가 덧붙여진 시간 여행이라고 해서 크게 달라질 건 없다.

다만 우리의 여행법이 남들과 살짝 다를 뿐이다. 가령 이탈리아 로마로 여행을 떠난다고 치자. 콜로세움이나 바티칸 시국 같은 유명 관광지나 유적지에 들를 테지만, 대부분의 시간을 보통 로마 사람들이 사는 골목 안을 기웃거리며 보낼 것이다.

우리는 보통 사람들의 삶이 궁금한 '골목 여행자'이다.

막다른 골목에 모여 구슬치기 놀이 하는 아이들, 갯마을 외진 골목에서 남몰래 속삭이는 젊은 연인들, 엄격한 스승 밑에서 구슬땀을 흘리는 토기 공방 수습생들, 자식의 혼사와 진로 문제로 마음 졸이는 부모들이 우리가 진정 만나고자 하는 가야의 보통 사람들이다.

가야의 거리에서, 항구에서, 시장에서, 공방에서, 가야의 보통 사람들이 하루하루를 살아가는 모습에 호기심 어린 눈길이 향한다. 소소한 일상을 사는 모습에 진심으로 매혹된다.

이런 점에서 이 책은 자유로운 여행기이다. 동시에 고고학적 자료에 철저하게 바탕해서 보통 사람들의 일상생활을 다루는 가야 생활사, 더 나아가 가야의 역사를 담은 어엿한 역사책이다.

우리가 방문하는 때는 399년쯤의 어느 가을날이다. 400년 고구려 광개토 대왕은 신라의 요청에 따라 가야를 공격했다. 5만여 명의 군사가 동원된 전쟁으로 말미암아 가야의 운명이 갈리고 가야 사회는 크게 요동쳤다. 우리는 바로 그 직전 해의 가을에 가야를 방문한다. '399년쯤'이라고 한 것은, 우리 여행이 역사적 사실에 굳건히 바탕을 두면서도 연도를 못박음으로써 생기는 성가신 일을 피하고 싶기 때문이다.

이번 여행은 조금 특이하다. 가야의 세 나라를 숨가쁘게 돌아다니기 위해, 우리는 말을 타고 다닐 것이다. 때때로 말에서 내려 거리를 어슬렁거리겠지만, 하루치기라는 빠듯한 일정을 맞추기 위해 말고삐를 바짝 조일 것이다.

또한 대가야의 전성기 모습을 보기 위해서 519년으로 한 번 더 타임 슬립(시간 이동)한다. 120년 뒤라곤 하지만 같은 시각 대로 이동하는 것이라 아무렇지도 않다는 듯이 남은 일정을 마치면 된다.

이제 1,620년 전으로 돌아가, 가야의 골목을 누비면서 가야 사람들을 만나며 그들의 일상생활을 탐험해 보자. 우리의 하루 여행은 김해 바닷가에서 시작해서 고령 산성에서 끝날 예정이다. 본격적인 가야 여행에 앞서 잠시 들러야 할 곳이 있다.

바로 가야의 역사가 열린 김해 구지봉이다.

1장

쇠의 바다,
금관가야에 가다

낯익은 땅, 낯선 바다에서

우리는 김해 구지봉에 와 있다.

가야 여행을 함께할 날쌘 말은 나무에 매어 두었다.

구지봉은 봉우리라지만 한달음에 오를 수 있는 언덕이다. 봉우리 맨 꼭대기가 뾰족하지 않고 납작한 원 모양인데, 거북이가 납작 엎드린 모양새란다.

봄철이 아닌데 짙은 안개가 자욱하다. 안개는 구지봉을 철벽처럼 에워싸고 있다. 밑으로부터 바람이 세차게 불어온다. 안개가 대가리를 쳐들고 봉우리 쪽으로 맹렬하게 피어오른다. 봉우리 아래 구름 융단이 펼쳐진 모습이 장관이다.

'아아, 이게 뭐람!'

구지봉에 오르면 발밑 저 아래가 훤히 내려다보일 줄 알았건만……. 발밑은 고사하고 한 치 앞도 내다볼 수 없다. 가야에 도착해서 처음으로 맞닥뜨린 상황이 당혹스럽다.

시간이 흐르자 다행히 바람 방향이 바뀌고 안개가 서서히 물러난다. 어라, 바람에 묻어 짜디짠 갯내가 풍겨 온다. 코를 킁킁거리며 냄새나는 곳을 찾아 두리번거린다.

조금 전까진 안개에 갇히어 미처 맡지 못했었다. 젖은 해초 냄새랄까 생선 꾸덕꾸덕 말리는 냄새랄까, 바닷가에서 늘 맡게 되는 짭짤하고 비릿한 냄새. 어이쿠, 갯내가 처음으로 맡은 가야의 냄새라니!

'구지봉 아래는 김해평야인데?'

우리 시대에 구지봉에서 내려다보면 나지막한 산에 둘러싸인 드넓은 김해평야가 보인다.

고개를 갸웃거린다. 뭐가 뭔지 알 수 없는 상황에 불안감이 슬며시 고개를 내민다.

안개는 점차 밑으로 깔리고 붉은 실오라기 같은 기운 서너 가닥이 하늘가로 치오른다. 하늘이 붉게 물든다. 그러더니 낮게 깔린 안개를 헤치고 쟁반만 한 해가 불쑥 솟아오른다. 해가 수레바퀴처럼 커지자, 안개는 허리를 꺾고 재빨리 뒷걸음쳐 물러난다.

'해돋이다!'

운 좋게도, 가야의 구지봉에서 장엄한 해돋이를 보게 된 것이다.

"앗!"

주위를 살피며 얼른 입을 틀어막았다.

'발밑 저 아래 풍경은······.'

그동안 안개에 가렸던 발밑 풍경이 보인다. 아침 햇빛에, 금빛 물결이 반짝이는, 짙푸른 바다이다! 이럴 수가? 여러 번 눈을 씻고 바다를 본다. 이제야 갯내가 어디서 온지 알겠다.

구지봉 아래로 바다가 육지 쪽으로 깊숙이 파고든 만이 펼쳐져 있다. 바다 저편에는 자그마한 섬들이 점점이 흩어져 있다.

이 땅은 낯익지만, 이 바다는 낯설다.

그렇다. 우리는 '쇠의 바다, 김해(金海)', 금관가야에 와 있다. 새벽녘 안개는 바다 안개, 해무였구나!

김해(金 쇠 금, 海 바다 해), 이름에 숨겨진 역사
김해평야는 1930년대에 인공 제방을 쌓아 생긴 평야이다. 가야 시대 김해는 5미터의 바닷물이 가득 찬 만이었다. 갯벌이 발달하고 밀물과 썰물의 차가 있는 바다였다. 이런 사실 때문에 낙동강 삼각주와 김해평야가 있는 곳을 '고(옛날)김해만'이라고 부른다.

구지봉 고인돌만 아는 비밀은?

구지봉 주위를 조심스레 둘러본다.

우리 시대 같았으면 원 모양을 따라 양팔을 활개치며 아침 걷기 운동을 하는 사람들로 벅적거렸을 텐데, 사방이 조용하다. 구지봉 아래 밤새 구지봉을 지킨 병사들이 졸음에 겨워 연신 하품을 한다.

구지봉의 굽어진 모퉁이에 널찍하고 반반한 바위가 있다. 뒤로 돌아가 보니, 작은 받침돌들로 큼지막한 덮개돌을 괴어 놓았다. 청동기 시대 지배자의 무덤인 '고인돌'이 틀림없다.

고인돌의 덮개돌에 손을 대자 따뜻한 기운이 피어오른다. 마치 봄 아지랑이 같다. 그 기운을 타고 우렁찬 노랫소리가 들려온다. 눈앞에 환영이 어른거린다. 고인돌이 보여 주는 소리와 환영에 순간적으로 정신이 아찔하다.

경남 김해 분산에서 본 김해시 전경

"거북아, 거북아, 머리를 내어놓아라.
나타나지 않으면 구워 먹겠다."

언뜻 보아 200명에서 300명은 되어 보이는 백성들이 웅성웅성 모여 있다. 그 가운데서 아홉 촌장들이 앞으로 나오더니, 봉우리의 흙을 파며 함께 입을 맞추어 즐거이 노래하며 춤을 춘다.
그러자 하늘에서 자줏빛 줄이 스르르 내려오더니 땅에 닿았다. 아홉 촌장이 달려가서 줄 끝을 보니, 붉은 보자기에 싼 상자가 매달려 있다. 그 상자를 여니 황금빛으로 빛나는 알 여섯 개가 있다. 모두 놀라 기뻐하면서 수없이 절을 한다.

덮개돌에서 손을 떼자 노랫소리가 딱 그친다.
환영도 순식간에 사라진다.
아아, 우리가 들은 노래가 바로 <구지가>구나! 그렇다면 우리가

본 것은 가야가 세워진 날에 벌어진 일이었다!

2천여 년 전 이곳 구지봉에서, 긴 수염을 늘어뜨린 아홉 촌장이 수로왕을 맞이하며 <구지가>를 불렀다. 여섯 알은 곧 여섯 명의 사내아이로 변하고, 그 가운데 한 사내아이가 무럭무럭 자라서 수로왕이 되었다.

'구지봉, 아홉 촌장, 고인돌, 하늘에서 내려온 자줏빛 끈, 여섯 알에서 나온 사내아이, 수로왕'이 뜻을 알 수 없는 암호처럼 머릿속에 뒤죽박죽 섞여 있다.

암호 속에 숨은 역사를 끄집어내 보자.

그러니까 원래 김해 지역에는 아홉 촌장이 다스리는 마을들이 있었다. 이들은 청동기를 사용하고 촌장이 죽으면 고인돌을 세운 세력이었다.

위만 조선이 망한 뒤 북쪽에 있던 세력이 남쪽으로 내려왔다. 발달된 철기를 지닌 이 세력은 청동기를 지닌 아홉 촌장을 힘으로 복종시켰다.

새로운 지배자는 자신의 등장을 신성시하고 아홉 마을을 위엄 있게 다스리고 싶었다. 그리하여 아홉 촌장이 새 지배자를 간절히 원했고, 그 지배자인 자신이 하늘에서 내려왔다는 이야기를 지어냈다.

결국 수로왕이 탄생한 이야기는 북쪽의 철기 세력과 남쪽의 청동기 세력이 결합되었다는 금관가야의 건국 신화였다.

우리는 고인돌이 전해 준 이야기를 곱씹으며, 2천 년이라는 세월의 더께가 내려앉은 고인돌을 가만히 본다.

앞으로도 고인돌은 묵묵히 우리 역사를 지켜볼 테지!

김해 구지봉 고인돌
이 고인돌은 기원전 4~5세기경 청동기 시대에 만들어졌다. 조선 시대에 명필 한석봉이 쓴 구지봉석(龜旨峰石)이라는 글자를 덮개돌에 새겨 놓았다. 지금은 철제 울타리가 쳐져 있어서 손으로 만질 수 없다.

구지봉에서 내려다보는 봉황대 국읍

눈을 들어 앞바다를 본다. 이른 아침, 조각배가 그물을 싣고 떠난다.

작은 배가 아침 햇살이 반사된 잔잔한 물결에 흔들거리는 풍경은 예나 지금이나 비슷하다. 갑자기 1,600여 년의 시간을 거슬러 가야 의 땅에 있다는 현실이 믿기지 않아서 머리를 좌우로 가볍게 흔들어 본다.

아침 햇살에 눈이 부시다. 눈을 가늘게 뜨고 봉황대 국읍을 내려 다본다. 김해에 세운 금관가야의 수도가 곧 봉황대 국읍이다. 봉황 대 국읍 앞으로 넓은 갯벌이 펼쳐져 있고, 잔잔한 파도가 수시로 와 서 산산이 부서졌다 물러가곤 한다.

구지봉과 봉황대 국읍 사이에 '왕가의 언덕, 애구지'가 한눈에 들 어온다. 대대로 금관가야의 왕들이 묻힌 곳, 왕릉이다. 애구지를 지 키는 병사들이 개미처럼 작게 보인다.

봉황대 국읍은 좁다란 모양으로 그리 넓진 않다. 낮은 언덕 위에 국읍을 세우고 오르락내리락할 수 있는 흙계단을 만들었다.

　　사실 수로왕은 이곳에 수도를 정하면서 '여뀌 잎같이 좁은 곳이지만, 하나를 넣으면 셋이 되고 셋을 쓰면 다섯이 되는 길한 땅'이라고 했다. 실제로 와서 보니 길고 좁다란 여뀌 잎같이 생겼다는 말이 어울리는 땅이다.

　　봉황대 국읍은 흙을 다져 켜켜이 올린 토성이 에워싸고 있다. 토성 곳곳에 성문이 나 있고 외부의 적을 감시하는 망루가 서 있다. 아직 이른 시간이라서 그런지, 성문은 닫혀 있고 지나다니는 사람들이 눈에 띄지 않는다.

　　토성 안에는 기와를 올린 궁궐을 중심으로 관청 건물, 무기 창고, 곡식 창고가 모여 있다. 귀족들의 집으로 보이는 큰 집들도 듬성듬성 있다.

　　봉황대 항구에는 밤새 닻을 내리고 정박한 배들이 보인다. 가야

김해 대성동 고분군

입에서 입으로 전해 내려오기를, 애구지란 '아기 구지봉'이란 뜻이란다. 수로왕이 탄생한 구지봉과 더불어 신성한 장소이다.

배는 물론이고 멀리 중국에서 온 대형 선박과 가까운 왜에서 온 선박들이다. 중국 배들은 커다란 사각 돛을 달고 있어서 금세 눈에 띈다.

이때다. 수평선 너머, 먼바다에서 배 한 척이 점점 다가오고 있다!

커다란 돛이 보이더니 드디어 우람한 선체를 서서히 드러낸다. 돛대 위로 붉은 깃발이 바닷바람에 세차게 나부낀다.

저 거대한 배는 어느 나라에서 왔을까? 문득 인도의 아유타국에서 수로왕비 허황옥이 타고 왔다는 붉은 깃발을 단 배의 모습과 겹쳐 보인다.

왕과 왕비의 무덤을 따로따로?

구지봉에서 엎어지면 코 닿을 데에 있는 허 왕후릉에 간다.

우리 시대에 있는 화려한 건물들은 찾아볼 수 없지만 허 왕후릉은 아까 애구지에 있는 가야 왕릉급의 무덤과 비슷한 규모이다.

수로왕이 즉위하고 6년이 흐른 어느 날, 붉은 돛을 단 배 한 척이 붉은 깃발을 휘날리며 육지 쪽으로 다가왔다. 그 배에서 젊은 여인이 내렸다. 두 명의 신하와 그들의 부인, 노비를 포함해 스무 명의 수행원이 뒤따랐다.

그 여인은 비단 옷감과 비단옷, 금은보화, 옥구슬, 중국 한나라에서 가져온 고급 물건을 결혼 예물로 내놓았다.

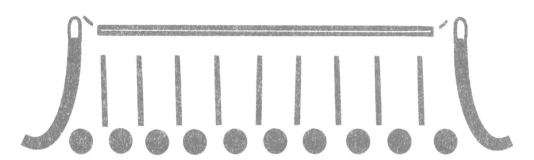

김해 수로왕릉 납릉정문의 쌍어문

한 고고학자가 납릉정문에 있는 쌍어문이 인도의 아요디아국의 쌍어 문양과 비슷하다며 허왕후가 인도에서 온 증거라고 주장하였다. 그러나 지금 남아 있는 납릉정문은 조선 정조 16년(1792)에 세워진 것으로 그때 쌍어문이 그려진 것으로 본다.

파사 석탑

<삼국유사>에는 서기 48년에 허황옥이 인도에서 올 때 풍랑을 가라앉히기 위해 배에 싣고 온 것으로 기록되어 있다. 이 석탑의 돌은 우리나라에서는 나지 않는 돌이라고 한다. 돌 위에 닭 볏의 피를 떨어뜨려도 피가 굳지 않는다는 이야기가 전해 온다. 지금은 김해시 수로왕비릉 안에 있다.

여인이 수로왕에게 자신을 소개하기를,

"저는 아유타국의 공주로 허황옥이라고 합니다. 나이는 열여섯 살입니다."

수로왕은 기꺼이 허황옥을 맞이하여 혼인을 했다.

고려 스님 일연이 쓴 <삼국유사> 중 '가락국기'에 전해 내려오는 이야기다.

흠, 허황옥은 진짜 인도의 아유타국에서 왔을까? 대부분의 학자들은 그럴 가능성이 적다고 본다. 고대 인도와 가야가 교류를 한 흔적이 남아 있지 않기 때문이다.

그렇다면 일연 스님은 왜 저런 이야기를 남겼을까? 그 이유를 알 수 없다. 기껏 가야 시대에 와서도 풀 수 없는 수수께끼라니!

갑자기 수로왕릉이 허 왕후릉에서 걸어서 20분 정도 되는 거리에 있다는 사실이 생각난다.

또 다른 의문이 생겨난다. 왜 왕과 왕비의 무덤을 따로 썼을까?

김해 수로왕릉

김해 수로왕비릉(허 왕후릉)

가야를 연구하는 한 학자는 허 왕후와 그의 일행이 대대로 왕비를 내던 세력이라고 추측한다. 수로왕과 허 왕후는 부부 관계라도 서로 별개의 정치 집단이라서 무덤을 따로 쓰고 별도로 제사를 지냈을 것이란다.

몇 걸음 물러서서, 허 왕후릉을 물끄러미 바라본다.

수로왕과 인도 아유타국 공주의 최초의 국제결혼, 허황옥이 배를 타고 인도에서 건너온 고대의 바닷길, 뱃길의 안전을 위해 실었다는 파사 석탑, 이 모든 게 고대의 신비이고 수수께끼이다.

역사적 사실이 무엇이 중요하랴. 수로왕과 허황옥의 로맨스가 여전히 우리에게 가슴 떨리는 설렘과 무한한 상상력을 불러일으키는 것을!

이른 아침부터 웬 푸닥거리?

봉황대 항구 한쪽이 시끌벅적하다. 둥둥. 짤랑짤랑.

조용한 아침나절에 나는 북소리와 방울 소리에 귀가 윙윙거린다.

해안가에 신을 모신 당집이 있다. 당집 주위로는 울긋불긋한 깃발이 나부낀다. 당집 옆에 바다를 향해 작은 배가 앉혀 있다. 작은 배에는 흰색, 노란색, 붉은색 깃발들이 꽂혀 있고 마른 생선 한 두름이 걸쳐 있다.

그 앞에 간단한 제상이 차려져 있다. 굽다리 접시 위에 과일과 고기와 생선, 떡이 수북이 올려 있다. 그리고 술잔이 놓여 있다. 배의 안전한 항해를 비는 굿을 하는 중이다.

박수무당이 북소리에 맞춰 방울을 요란스럽게 흔들고 폴짝폴짝

뛰며 춤을 춘다. 배의 주인인 선주가 술을 따르며 연거푸 절을 한다. 아마 저 선주의 배가 오늘 아침 먼 항해를 떠나나 보다.

바닷가에 사는 가야 사람들은 가깝고 먼 항해를 떠날 때마다 안전한 항해와 물고기가 많이 잡히기를 기원하며 굿을 한단다. 우리도 먼바다로 떠나는 배가 안전하게 돌아오기를 바라며 당집을 떠난다.

구지봉을 재빠르게 내려간다. 이제부터 본격적인 가야 탐험을 시작할 시간이다. 아까 나무에 매어 두었던 말이 한가로이 풀을 뜯고 있다. 우리를 보자 히힝 소리를 내며 콧김을 내뿜는다. 등자에 두 발을 올려놓고 고삐를 단단히 조인다. 오늘 일정이 빠듯하다.

자, 서두르자!

전북 부안 죽막동 제사터는 가야 사람들이 원거리 항해의 안전을 기원하는 굿을 한 곳이다. 위도 띠뱃놀이 굿의 모습을 원용했다.

2장
'쇠의 나라'인 금관가야
대장장이 마을에 가다

가야의 첨단 산업 단지, 낙동강 공업 벨트

낙동강을 따라 바람을 가르며 말을 달린다.

잘 훈련된 말은 말갈기를 휘날리며 자동차 못지않은 속력으로 질주한다. 어찌나 빠르게 달렸는지 잠깐 멈춰 서자, 지친 말이 대가리를 쳐들곤 콧김을 연거푸 내뿜는다. 말에게 물을 먹이고 쉬게 하면서 주위를 살핀다.

낙동강변에 숯 연기가 모락모락 나는 제철소가 줄지어 있다. 과연 '쇠의 나라' 금관가야다운 풍경이다.

가야의 땅인 낙동강 유역에는 풍부한 철광석 산지가 많다. 제철을 할 때 숯이 필요한데, 숯을 만들 수 있는 나무가 많은 곳, 그리고 완성된 철을 실어 나르는 데 편리한 물길이 있는 낙동강변에 제철소가 들어선 것이다.

쇠를 부리는 가야 사람들.

아까부터 이 말이 입가에서 맴돈다. 가야의 제철소를 방문하고 싶어 안달이 난다.

가야의 숙련된 제철 기술자가 '노'라는 옛날 용광로에서 땀을 흘리며 풀무질을 하는 모습, 철광석을 숯으로 녹여 철을 뽑아내는 현장을 보고 싶다. 질 좋은 쇠를 만들어 내는 데 필수적이라는 숯을 굽는 숯가마도 궁금하다.

가야 제철 기술의 핵심이라는 '강철' 만드는 법도 구경하고 싶다.

강철은 순철에 탄소를 주입해서 단단한 철로 만든 것이다. 도끼날이 강철로 만든 제품이다. 가야의 제철 장인은 조개껍데기와 숯으로 탄소의 양을 조절했다는데, 그 능수능란한 솜씨를 꼭 봤으면!

이런! 잔뜩 기대하고 왔는데!

제철소 경비가 어찌나 삼엄한지 쥐새끼 한 마리도 지나갈 수 없을 정도다. 아예 제철소 쪽으로는 접근조차 할 수 없다.

무시무시한 창을 든 병사들이 굳게 닫힌 문을 지키고 있다. 담벼락 위의 망루에도 감시의 눈길이 번뜩인다.

왜 저럴까 생각하다가, 문득 번개 치듯 깨닫는다.

가야 시대의 제철소는 우리 시대로 치면 최첨단 산업인 반도체 산업에 해당한다는 사실을! 철광석에서 철을 뽑아내는 제철 기술은 철통 보안이 요구되는 국가 기밀이다. 그러니 물 샐 틈 없는 경비를 할 수밖에.

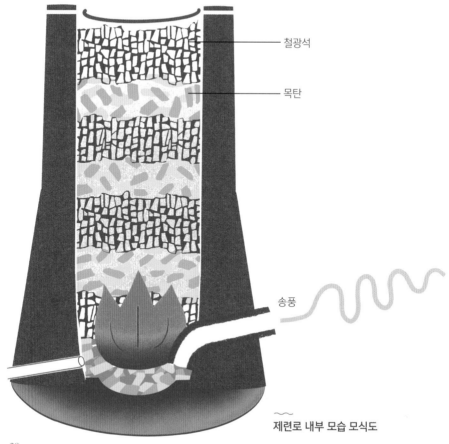

철광석

목탄

송풍

제련로 내부 모습 모식도

고대 사회에서 제철 기술은 사회 발전의 원동력이다. 철기를 든 수로가 청동기를 쓰던 아홉 촌장의 추대를 받아 왕이 되었듯이, 철기를 쥔 자가 세상을 지배한다.

농업 생산력을 높이는 철제 농기구와 나라 간 전쟁에서 쓰이는 철제 무기, 화폐로 이용된 덩이쇠, 모두 철로 만든 제품이다.

지배자는 철 제품을 다른 나라에 수출해서 부를 쌓고 자신의 위세를 드러낼 귀한 물건들을 수입한다. 또 소수의 귀족들에게 철 제품을 나누어 주어 복종을 받아 낸다.

가야 같은 고대 사회에서 철은 권력이자 부이다. 금관가야는 동북아시아에서 최고의 철기 제작술을 갖고 있는 '철의 왕국'이다.

가야 청소년의 희망 직업 1순위는?

하는 수 없이 말 머리를 돌린다. 여행에는 돌발 상황이 생기기 마련이다. 이럴 때는 미련을 버리고 행선지를 바꾸어야 한다.

그리하여 제철소 대신 대장장이 마을에 가기로 한다. 금관가야에는 대장장이 마을이 여럿 있어서 금세 적당한 곳을 찾았다.

탕탕 탕탕 탕.

대장장이 마을에 들어서자 쇠망치 소리가 쩡쩡 울린다. 한두 군데의 대장간에서 나는 소리가 아니다. 마을 여기저기에서 나는 쇠망치 소리가 묘한 조화를 이룬다. 마치 타악기 합주곡 같다.

마을 입구에 있는 대장간에 들른다. 안으로 들어가자 후끈하다. 쇠를 달구는 단야로에서 뿜어내는 열기다. 다들 구슬땀을 흘리며 일하는데, 옷과 두건이 땀에 흠뻑 젖었다. 가을이라고 하지만 한낮에

는 꽤 덥지 않은가. 한낮의 더위를 피해 이른 아침부터 일을 시작했
나 보다.

대장간의 중심에 단야로가 있다. 쇠를 달구는 가마인데, 질 좋은
숯을 이용한다. 척 보니 대장간 인력 구성을 알 수 있다. 가마를 중심
으로 숙련된 장인, 일을 배우는 수습 장인, 일을 보조하는 어린아이
로 구성된다.

가야 시대 대장간 풍경이 조선 후기 김홍도가 그린 <대장간>과 별
반 다르지 않아 슬며시 입가에 웃음이 번진다. 하기야 우리 시대 시
골 장날에 여는 대장간 풍경도 이곳과 크게 다르지 않다.

나이 지긋한 대장장이가 커다란 쇠집게로 막 단야로에서 꺼낸 시
뻘겋게 달군 쇠를 잡고 있다. 젊은 대장장이 두 사람이 번갈아 가면
서 커다란 쇠망치를 내리쳐 모루 위에 놓인 쇠를 두드린다.

탕탕 탕탕 탕탕 탕탕.

쇠망치 내리치는 소리가 리드미컬하다! 환상의 복식조 젊은 대장
장이들이 쇠망치를 적당한 간격을 두고 휘두른다.

고구려 집안 오회분 4호분 대장장이신 벽화

쇠집게

쇠망치

쇠집게

쇠망치

쇠모루 쇠를 두드릴 때 쓰는 받침대

단야로 옆에서 열심히 발로 풀무질을 하는 어린아이도 있다. 바람을 불어넣는 풀무질을 쉴 새 없이 해야 단야로의 숯불이 뜨겁게 유지될 수 있다.

쇠집게를 잡은 대장장이가 이렇게 두드린 쇠를 물에 넣어 식힌 뒤, 단야로에 넣어 다시 달군다. 이런 과정을 여러 번 반복하면 쇠가 단단해진다.

이번에는 대장장이가 도끼날을 '벼린다'. 한참 쓰다가 날이 무디어진 도끼날도 불에 달구었다 망치질로 날을 벼리면 시퍼렇게 날이 살아난다. 일종의 재활용이랄까.

대장간을 나와 갑옷 공방으로 가는 길에 마을 뒷산에 있는 대장장이들의 무덤을 발견한다. 가야의 왕릉급 무덤에는 미치지 못하더라도 하나하나의 무덤 규모가 상당히 크다. 무엇보다 대장장이들의 무덤이 한곳에 모여 있다는 사실이 놀랍다.

아까 본 나이 지긋한 대장장이도, 젊은 대장장이들도, 풀무질하던 소년도 이곳에 묻힐 거다. 그가 살아생전에 제 몸처럼 아끼던 망치, 모루, 쇠집게들과 함께!

대장장이와 그의 아버지, 그의 아버지의 아버지도 그렇게 묻혔다. 이것이 가야가 대장장이를 대우하는 방식이다.

가야에서 대장장이는 존중받는 전문가이다. 대장장이는 쇠를 부리는 기술로 숙련된 전문 장인이고 한 마을에 모여 산다.

사실 수로나 탈해 역시 대장장이 출신의 왕이 아닌가. 수로왕의 성이 달리 김(金: 쇠 금, 성 김)씨일까. 탈해는 경주 계림으로 들어와 호공의 집을 빼앗기 위해 숫돌과 숯을 몰래 숨겨 두었다가 자신이 대장장이임을 밝히지 않는가. 이러니 가야 청소년의 희망 직업 제1순위는 대장장이가 아니었을까.

한 땀 한 땀 박음질, 판갑옷 공방

가야에 오기 전부터 철 갑옷을 어떻게 만드는지 몹시 궁금했다. 무겁고 단단한 쇠로 인체의 곡선에 맞는 갑옷을 만든다는 게 머릿속에서 선뜻 그려지지 않았다.

막상 갑옷 공방에 오자 어디로 갈지 몰라 갈팡질팡이다. 갑옷 공방이 보병용 갑옷인 판갑옷 공방과 기병용 갑옷인 비늘 갑옷 공방으로 나뉜 사실을 몰랐던 탓이다.

아쉽지만 빠듯한 일정 때문에 판갑옷 공방만 방문하기로 한다. 비늘 갑옷은 작은 쇳조각인 비늘을 가죽끈으로 바느질하듯 꿰매고 안쪽에 가죽을 덧대는 것이라 상대적으로 만드는 법을 이해하기 쉽다.

땅땅 땅 땅땅 땅.

판갑옷 공방에 들어서자, 장인들이 작업대에서 작은 망치를 두드리는 소리가 끊이질 않는다.

한 벌의 판갑옷에는 27개의 작은 철판이 쓰인다고 한다. 철판 두께를 눈어림으로 재 보니 1밀리미터쯤이다. 이렇게 얇은 철판을 만들어 낸 기술력이 놀라울 뿐이다.

한 갑옷 장인이 철판에 코를 박고, 구멍을 뚫은 철판과 철판을 잇대고 그곳에 못을 박는다. 옆에서 지켜보니 철판을 부드러운 천 조각 다루듯이 한다.

그야말로 '가야 장인이 한 땀 한 땀 철판을 못으로 박음질'하는 정교한 작업이다. 장인은 땀이 뚝뚝 떨어지는 것도 아랑곳하지 않는다. 옆에서 구경하는 우리는 작업에 방해될까 봐 숨소리를 죽인다.

장인이 한 벌의 판갑옷을 완성하려면 80여 개의 못을 박아야 한다고 알려 준다. 판갑옷 한 벌 만드는 게 보통 일이 아니다. 이렇게 못으로 이은 철판과 철판을 인체의 곡선을 살린 나무 본에 맞추어 계속 연결해 나간다.

'판갑옷이 얼추 완성된 것 같은데?'

그때, 공방에서 가장 숙련된 장인이 나서서 마무리를 시작한다. 판갑옷을 불에 달군 뒤 작은 망치로 두드려 인체 곡선에 맞게 모양을 잘 다듬는다. 이런 섬세한 작업은 고도의 숙련도를 필요로 한단다.

'이제 끝났겠지!' 하고 자리를 뜨려는 순간, 또 다른 장인이 앞뒤에 경첩을 달아 판갑옷을 연결한다. 판갑옷의 안에 피부를 보호하기 위해 가죽을 덧대고, 가장자리를 가죽으로 마무리한다.

'진짜 완성이다!' 하는데, 여기서 멈추면 가야의 장인이 아니라는 듯이 다른 장인이 나선다. 우아, 판갑옷의 앞에 따로 만들어 둔 고사리 무늬 장식을 덧붙인다. 어깨에 판 홈에는 깃털을 달아 멋을 낸다.

이번에는 옻칠 장인이 쇠가 녹스는 것을 방지하기 위해 옻칠을 윤나게 한다.

드디어 멋진 판갑옷 완성이다!

판갑옷 만드는 법

여러 명의 장인이 분업을 해서 맡은 일을 척척 해낸다. 작은 철판을 망치로 두드리는 장인, 철판을 못으로 고정하는 장인, 판갑옷의 나무 본을 만드는 장인, 판갑옷의 가장자리에 가죽을 덧입히는 장인, 완성된 판갑옷을 입혀 보는 장인들로 공방 안은 분주하다.

한반도에서 출토된 철 갑옷의 거의 대부분이 가야산이다. 그중에는 말이 입는 갑옷도 있다. 이런 철 갑옷을 두른 가야의 장군과 병사들은 무적 군대였을 것이다!

판갑옷 한 벌 만드는 작업 공정이 복잡해서 시간이 지체됐다. 우리는 대장장이 마을을 한번 뒤돌아보곤 말의 배를 힘차게 찬다.

판갑옷

3장

갯마을
촌장 댁에 가다

반가워요! 가야 사람들!

말을 달려 낙동강 하류에 있는 갯마을로 향한다.

갯마을이 가까워지자 짭짤한 바다 내음이 풍긴다. 마을에서 멀찌감치 떨어진 곳에서 말을 탄 채, 마을 주위를 휘휘 둘러본다.

둥글고 낮은 산들이 첩첩 마을을 에워싸고, 마을 앞으로는 입자 고운 모래톱이 발달되어 있다. 갯마을 어귀까지 바닷물이 들락날락한다.

마을은 낮은 언덕에 자리 잡았는데, 이엉을 엮어 얹은 소박한 움집과 다락창고가 옹기종기 모여 있다. 한눈에 보아도 소박하고 정겨운 마을이다.

말을 마을 입구 나무에 묶어 둔다. 가야의 보통 사람들을 만난다는 기대에 부풀어 마을 속으로 자박자박 걸어 들어간다.

갯마을에 들어서자마자 아침 까치가 까악까악 운다. 늘 보던 까치를 여기서 보니 어찌나 기쁜지! 멀리서 온 우리를 손님으로 반갑게 맞이하는 것 같다.

아침나절이라 새들의 날갯짓이 활발하다. 통, 통, 통, 날렵하게 물 찬 새가 하늘로 날아오른다. 커다란 몸집의 왜가리가 갈대 섬에 날개짓을 접고 가만히 서 있다. 청둥오리 어미가 앞서고 새끼들이 뒤따르는데 어찌나 빨리 움직이는지 눈으로 따라잡기도 힘들다.

이때다!

발밑에 큼지막한 새 깃털이 하나 뚝 떨어진다. 눈을 들어 보니 큰고니 떼가 머리 위로 날아가고 있다. 가을이면 낙동강으로 날아드는 철새다.

흰 깃털을 주워 든다.

가야에서는 사람이 죽으면 큰 새 깃털을 관에 넣어 준다고 한다. 죽은 이의 영혼이 하늘 나라로 훨훨 날아갈 수 있도록 도와주려는 것이다.

가야 사람들은 새가 하늘과 땅을 이어 주는 '영혼의 전달자'라고 굳게 믿는다. 같은 이유로 새 모양 토기를 관 속에 껴묻거리로 넣어 준단다. 혹시 오늘 아침 이 마을에서 누군가의 영혼이 하늘로 막 떠나고 있는 건 아닐까?

훠이, 훠이.

흰 깃털을 조심스레 하늘로 날려 보낸다.

진·변한(신라·가야)의 새 모양 토기

새 장식을
단 판갑옷

새 무늬 청동기

새 모양 토기

촌장님 댁을 찾는 동안 갯마을 사람들을 여럿 만났다.

갯마을 사람들은 남자나 여자나 키가 크다. 남성들은 기골이 장대하다. 옷차림이 깔끔하고 남성들은 끝이 뾰족한 고깔모자를 썼다.

마을 사람들은 길거리에서 마주치면 서로 길을 비켜 준다. 이렇게 깍듯한 예의범절은 삼한(삼국 시대 이전에 남부 지방에 있던 마한, 진한, 변한을 이름) 중 변한의 풍속으로 알려져 있다. 가야가 '변한의 땅'이기 때문에 이런 풍속이 전해 내려오는 것이리라.

가야의 쓰레기장, 조개더미를 뒤지면?

우리는 슬슬 걸으며 마을 구경을 한다.

마을 한복판에 넓은 공터가 있다. 우리 시대의 광장 같은 곳이다. 공터 옆에 제사를 지내는 건물이 있고 집들은 공터를 중심으로 원형으로 배치되어 있다. 마을 사람들이 공동으로 마시는 우물이 있고, 마을 바깥쪽에 토기 공방, 대장간이 있다.

낯선 우리를 본 마을 개들이 컹컹 짖는다.

특이한 점은 마을 전체를 둘러싼 나무 울타리는 있는데 집집마다 울타리가 없다. 이 마을 사람들은 마음을 터놓고 오순도순 공동체를 이루며 사는 것 같다. 집집마다 키우는 닭들이 내 집 남의 집 없이 구구거리며 돌아다닌다.

갯마을 집들은 반지하 움집이 많고 벽체에 이엉을 얹은 집, 그리고 사다리가 놓인 다락창고도 간간이 눈에 띈다. 집은 원형이나 사각형인데 모두 초가집이다.

요즘 갯마을에서는 나무와 흙으로 벽체를 만들고 초가로 맞배지

김해 회현리 패총

패총은 역사 변화의 시간표라 불린다. 조개더미의 밑바닥부터 맨 꼭대기 층까지 기원 전후부터 4세기경, 400여 년간에 걸쳐 만들어졌다.

붕을 한 집이 인기가 높다. 반지하인 움집보다 집 안으로 햇빛도 잘 들어오고 바람도 잘 통하기 때문이다.

촌장님 댁을 찾기는 어렵지 않다. 갯마을 공터 바로 옆, 가장 큰 집이다. 그 집에서 막 조개껍데기가 수북이 쌓인 토기를 지게에 진 남자 종이 나온다. 호기심이 발동해서 그의 뒤를 쫓아간다.

앗, 조개껍데기가 산더미같이 쌓인 조개더미(패총)이다.

남종은 조개껍데기를 휙 내다 버리더니 뒤도 안 돌아보고 쌩하니 가 버린다. 음식물 쓰레기 냄새가 고약해서일 거다.

눈앞에 있는 조개더미가 신기하기만 하다. 코를 싸 쥐면서도 조개더미 위에 올라간다.

조개더미는 마을의 공동 쓰레기장이다. 조개더미가 하늘에 닿을 만큼 까마득히 높게 쌓였고 부피 또한 어마어마하게 크다. 대대로 수백 년 동안 마을 쓰레기장으로 이용되었나 보다. 세월이 흘러도 썩지 않는 조개껍데기가 쌓이고 쌓여 쓰레기 산을 이룬 것이다.

가까이 가 보니 조개더미 중간중간에 별의별 물건이 다 있다. 깨진 토기들, 못 쓰게 된 철제 낫과 호미, 동물 뼈와 생선 뼈, 거울 조각, 타 버린 곡식 낟알, 복숭아씨가 섞여 있다.

이 마을 사람들은 음식물 쓰레기와 생활 쓰레기를 모조리 이곳에 버려 왔다. 가야에는 분리수거가 아예 없나 보다.

조개껍데기 사이에서 햇빛에 반짝거리는 물건을 주웠다. 손바닥에 올려놓으니 한 조각이 떨어져 나간 동전이다! 가운데 네모난 구멍이 뚫려 있고 오른쪽에 '貨(돈 화)', 왼쪽에 '泉(돈 천)' 자가 새겨져 있다.

우아, 이 동전은 중국에서 만든 돈이다. 동전에 묻은 먼지와 때를 조심스레 닦아 내고 주머니에 소중히 넣어 둔다. 오래된 중국 동전을 줍다니, 오늘은 운이 좋은 날이다.

　우리는 손을 털고 다시 마을 공터 옆 촌장님 댁으로 간다.

온돌과 마루가 있는 갯마을 촌장님 댁

　갯마을 촌장님 댁은 반지하 움집이다.

　넓은 사각형 집인데 이엉을 엮어 얹은 지붕이 땅바닥까지 덮여 있다. 반지하라고 하지만 청동기 시대 움집에 비해선 땅 위로 솟아 있다. 뒤로 여러 채의 집을 거느리고 있다.

　밥을 하는지 지붕에 난 굴뚝에선 연기가 모락모락 난다. 밖으로 난 대문은 세로로 나무 창살을 죽죽 내리질렀다.

　창을 내지 않은 반지하 움집 안은 어둡다. 눈이 어둠에 익숙해지자 움집 안을 둘러본다. 가장 먼저 눈에 띈 것은 서쪽에 설치한 부뚜막이다. 부뚜막 위에는 밥을 찌는 시루가 올려져 있고 한창 장작불이 활활 타오르고 있다.

　부뚜막과 잇대어 쪽구들이 깔려 있다. 쪽구들은 겨울철 추위를 막기 위한 온돌 시설이다. 지난겨울에 촌장님은 큰마음을 먹고 쪽구들을 설치했다. 온돌 장인을 불러 널돌을 터널처럼 세우고, 부드럽고 차진 흙으로 위를 깔끔하게 마감했다. 늦가을부터 겨우내 집 안을 훈훈한 온기로 채워 준다. 추위로 어깨를 움츠릴 일이 없어졌다.

　움집 뒤에 다락집이 두 개나 딸려 있다. 나무 벽만 없으면 우리 시대 원두막과 비슷하게 생겼다.

　그 가운데 큼지막한 다락집은 나무 대문이 있는 곡식 창고이다. 나무 기둥을 여덟 개 세우고 그 위에 튼튼한 다락을 올렸다. 땅에서 올라오는 습기를 막고 쥐나 뱀, 벌레를 피하기 위한 창고이다. 아래

기둥 밑에서 돼지를 키우는 집도 있단다.

작은 다락집은 주로 여름철에 시원하게 지내는 곳이다. 갯마을은 겨울에도 기온이 영하로 내려가는 일이 없어서 봄과 가을에도 자주 이용한다. 출입문에도 나무 창살을 두어 바람이 잘 통하게 해 놨다. 다락집 바닥에는 나무로 만든 평평한 마루가 깔려 있다.

우리는 마루에 편안하게 눕는다. 새벽부터 말을 타고 돌아다닌지라 졸음이 몰려온다. 마룻바닥에 누우니 바닥은 차고 밖에서 바람이 솔솔 불어오니 낮잠이라도 한숨 자고 싶다.

갑자기 인기척이 난다. 재빨리 일어난다.

갯마을 촌장님이다.

다락집은 청동기 시대에 생겨났지만 삼국 시대에 널리 퍼졌다. 다락집을 지으려면 나무를 다듬을 철제 연장과 목재와 목재를 잇는 기술이 필요하다. 4세기 이후 철기가 보급되자 백성들도 나무로 다락집을 짓고 살게 된 것이다.

집 모양 토기(복원품)

이래저래 시름에 잠긴 갯마을 촌장님

요즘 갯마을 촌장님은 심기가 불편하다. 야속하게도 나랏일이나 마을 일이나 집안일이나 촌장님에게 줄줄이 시름을 안길 뿐이다. 촌장님은 서늘한 마루에 앉아서도 연신 한숨을 내쉰다.

나라 안팎이 흉흉하다.

금관가야는 작년에 신라와 치열한 전쟁을 치렀다. 철 갑옷으로 무장한 금관가야의 기마 부대가 신라를 선제 공격했다. 가야군이 주축

집 모양 토기
튼튼한 기둥 위에 세운 다락집 모양의 토기이다. 속은 텅 비어 있고 굴뚝 모양의 입구를 통해 술 같은 액체를 따라 넣을 수 있다.

이 되고 바다를 건너온 왜군이 합세해서 신라성을 함락했다.

용케 전쟁에서 이겼다고 해도 갯마을 젊은이 수십 명이 전장에서 목숨을 잃었다. 목숨을 잃은 젊은이 가운데 촌장님의 맏아들도 있다. 다 키운 자식을 잃은 부인의 슬픔을 곁에서 지켜보는 것도 고통이었다.

진짜 두려운 것은 고구려라는 존재다. 신라가 도움의 손길을 요청하기만 하면 고구려의 광개토 대왕은 무적의 기마 군대를 이끌고 가야를 칠 기세다.

마을 일도 걱정이 태산이다.

가야는 나라 안팎의 교역에 의존해서 먹고산다. 이 마을은 농사를 지을 땅이 절대적으로 부족하다. 마을 사람들은 물고기를 낚고 소금을 만들어 내륙 지방의 곡식과 바꿔 먹고산다.

봉황대 항구에서 중국, 왜, 백제, 신라와 국제 교역이 이루어지는데, 요즘 그게 신통치 않다. 고구려가 낙랑과 대방을 몰아내고 서해 항로를 장악한 뒤부터이다.

이때 사다리 위로 촌장님 아들이 불쑥 고개를 내민다. 촌장님은 늦둥이 아들을 보자 입이 저절로 헤벌어진다. 그 틈새로 촌장님의 앞니가 없는 게 보인다.

몇 해 전 아버지가 죽자 상주로서 앞니를 뽑은 것이다. 대대로 촌장을 하는 이 집안에서 아버지의 촌장 직을 이어받는 자리에서였다.

아침부터 아들은 부루퉁하다. 주둥이가 닷 발이나 나왔다.

"아직도 고집을 부리는 거냐?"

촌장님은 안정된 촌장 직을 물려받지 않겠다는 아들이 영 탐탁지 않다. 촌장이 채근하자 아들은 볼멘소리로 대답한다.

"전 도공이 되고 싶어요."

"아니, 누가 하지 말라던?"

촌장님이 한발 뒤로 양보하는 척하며 아들을 살살 달랜다. 일단 집에 묶어 두려는 속셈이다.

"여기에도 토기 공방이 수두룩한데, 왜 굳이 아라가야까지 유학을 가겠다는 거냐?"

"토기를 잘 빚으려면 훌륭한 스승님 밑에서 일을 배워야 한다고요. 아라가야에 제가 원하는 스승님이 있어요!"

아들은 똑 부러지게 대답한다. 사실 아들은 촌장님과 기질이 확연하게 다르다. 섬세한 예술가적인 기질을 타고났다.

그런 아들이 아라가야의 달항아리를 보곤 첫눈에 반했다. 기어코 집을 떠나 아라가야에서 달항아리를 빚는 스승 밑에서 일을 배우겠다고 고집을 부린다.

오늘도 결론이 나질 않자, 아들은 문을 쾅 닫고 쿵쾅쿵쾅 사다리를 내려가 버린다. 사춘기에 접어든 아들은 제 주장만 내세운다. 고분고분 아버지 말을 듣던 시절은 가 버렸다.

당연히 아들에게 촌장 직을 물려줄 것을 기대한 촌장님만 날벼락을 맞은 셈이다.

아침 댓바람부터 아들과 한바탕 입씨름을 하자 우리 촌장님은 끙, 하고 마루에 눕고 만다. 가뜩이나 나랏일로 심란한데!

고대 4국의 건축 박람회에 가다!

원삼국 시대부터는 쇠도끼 같은 철로 된 공구를 이용할 수 있게 되면서, 나무를 찍어 튼튼한 기둥을 세운 집을 세울 수 있었다. 청동기 시대 반지하 움집에서 드디어 땅 위에 지은 집이 등장한 것이다. 나무와 짚, 흙으로 만든 고대의 집이 지금까지 남아 있을 리 없다. 하지만 유적에서 출토되는 '집 모양 토기'는 가야를 비롯한 고대 4국의 집 모양을 생생하게 전해 주고 있다. 집 모양 토기는 지붕이나 굴뚝, 문과 창, 사다리, 벽체의 모습까지 사실적으로 빚어냈다. 지금이라도 문을 열고 집주인이 나올 것 같다. 집 모양 토기는 무덤에 묻힌 껴묻거리로 죽은 뒤의 안식을 기원하는 뜻이 담겨 있다.

가야의 집 모양 토기

출입구로 통하는 사다리에는 두 마리의 쥐 모양 토우, 지붕 위에는 쥐를 노려보는 듯한 한 마리의 고양이 토우를 부착하여, 집 주변 일상의 모습을 재미있게 표현하고 있다. 전 대구 현풍 출토.

고구려 집 모양 토기

우진각 지붕을 얹은 단칸집이다. 추운 지방이라 창과 문을 아주 작게 낸 것이 눈에 띈다. 해방 전 평양 출토.

신라 집 모양 토기

긴 굽다리 위에 집이 얹혀 있는
독특한 모양이다.
죽은 뒤에 편안한 삶을 기원하는
바람을 담고 있다. 경주 사라리 출토.

통일 신라 집 모양 토기

암키와, 수키와, 치미를 얹은 화려한
팔작지붕 집이다. 화려한 귀족 집을
표현했으나 실제로는 죽은 이의 뼈를
담는 그릇으로 사용되었다.
경주 북군동 출토.

4장

갯마을 촌장 댁의
부산한 아침 풍경

새 깃털로 부채질하는 촌장 부인의 아침 단장

　해가 완전히 뜨자 가을날치고 꽤 덥다. 우리 시대 말로는 '인디언 서머(가을에 일시적으로 무더워지는 날씨)'이다.

　뒤늦게 찾아온 더위에 촌장 부인은 여름 내내 손에서 놓칠 않던 부채를 찾는다. 새 깃털로 만든 부채로 하늘하늘 부채질을 하자 땀이 식는다. 이 부채는 손잡이 부분에 검은 옻칠을 한 고급품이다.

　부인이 아침 단장을 시작한다.

　청동 거울에 얼굴을 비추어 가면서 머리를 땋아 위로 올려 붙인다. 엉덩이 아래까지 내려오는 붉은빛 긴 저고리에 어울리는 연둣빛 치마를 입었다. 저고리에 허리띠를 둘러맨다. 저고리와 치마 모두 풍성하다.

　'이게 낫나, 저게 낫나?'

　부인은 귀고리에 돼지 이빨 팔찌는 선뜻 골라 찼는데, 옷 색깔에 맞는 옥구슬 목걸이를 고르는 데는 한참 걸린다. 그러고 보니 부인은 색깔별로 재질별로 옥과 유리 구슬 목걸이를 다양하게 갖고 있다.

～～

옻칠 부채

기원 전후 널무덤에서 나온 부채. 새 깃털에 손잡이에는 옻칠을 했다. 부채로 죽은 이의 얼굴을 가리고 묻었다. 새 깃털 역시 죽은 사람의 영혼이 하늘 나라로 잘 가기를 바라는 염원이 담겨 있다.

마침내 짙은 남색의 유리옥에 굽은 옥
으로 꾸민 목걸이를 고른다. 청동 거울에 만
족한 미소를 띤 부인의 얼굴이 비친다.

이렇듯 가야 여성들은 꾸밈을 좋아하며 뛰어난 미
의식을 뽐낸다. 저고리와 치마는 물론이고 장신구의
색깔 맞춤에도 세심하게 신경을 쓴다.

우리 시대로 말하자면 뛰어난 패션 감각으로 유행
을 이끄는 '패셔니스타'이다.

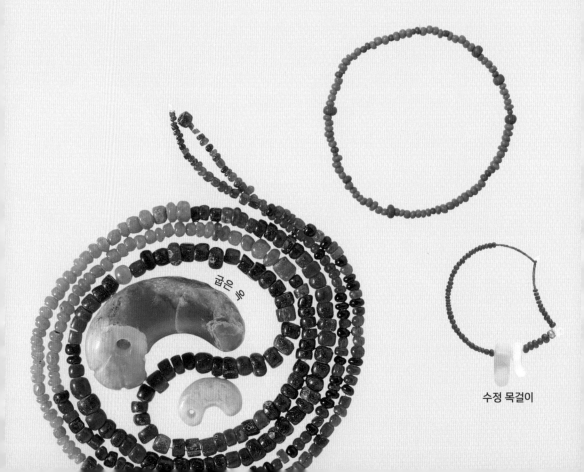

굽은 옥

수정 목걸이

풍부하고 균형 잡힌 가야식 식단

아침 단장을 마친 부인이 부엌에서 여종이 차리는 아침 식단을 점검한다. 부인은 나물이 빠진 상이 아쉽다. 여종더러 말린 박고지와 고사리로 나물을 무치라고 잔소리한다.

여종이 식재료를 가지러 곡식 창고에 가기에 얼른 뒤따른다. 조심조심 사다리를 타고 창고에 오르는데 지붕 위에서 고양이와 쥐의 쫓고 쫓기는 싸움이 시작된다. 싸움은 싱겁게 끝나 고양이가 의기양양하게 쥐를 덥석 물고 있다.

곡식 창고 안에는 커다란 토기 항아리들이 늘어서 있다. 뚜껑을 열어 보니 항아리마다 곡식과 고기를 말린 포, 과일 들이 쟁여 있다. 곡식만 해도 크고 작은 항아리에 쌀, 기장, 보리, 콩, 조가 따로 담겨 있다.

따로 둔 기다란 독에는 무엇이 들어 있을까?

뚜껑을 여니 흰 소금이 가득 들어 있다. 소금은 해산물을 저장하거나 음식의 간을 맞출 때 꼭 필요하다. 우리 시대야 소금이 흔하디흔하지만 가야 시대에는 구하기 힘든 귀한 물건이다.

말린 고사리와 박고지가 함지박에 널려 있고 천장에는 말린 생선 두름이며 포를 뜬 꿩고기가 대롱대롱 매달려 있다.

곶감을 말리는 걸까? 반시 정도 되어 보이는 감이 있다. 여종 몰래 한 입 물었다가 퉤퉤 내뱉는다. 아직은 떫다.

곡식 창고를 구경하니 촌장님 댁의 넉넉한 살림 형편을 짐작할 수 있다.

가야 사람들은 하늘, 땅, 바다에서 풍부하게 나는 다양한 식재료를 구해서 골고루 식단을 짠다.

육고기만 해도 직접 사냥한 멧돼지, 사슴, 꿩 고기, 집에서 기르는 닭, 오리, 소, 돼지 고기를 먹는다. 생선도 청어, 대구, 농어, 돔, 우럭, 고등어, 민어에 굴과 조개, 고둥, 다슬기, 재첩, 꽃게를 먹는다.

산에는 도토리와 밤과 호두가 널려 있고 마을 울타리 밖 감나무에 감이 주렁주렁 열린다. 우리 시대의 눈으로 보아도 필수 영양소 5군 식품을 골고루 섭취한다.

요리의 완성은 먹음직스러운 상차림

오늘은 날이 더운지라 반찬 요리는 한뎃부엌에서 한다. 대개 여름철엔 집 안에서 요리를 하면 덥기 때문에 마당에 설치한 한뎃부엌을 이용한다.

부인이 여종들을 진두지휘하며 찌고 삶고 볶는 요리를 한다.

집 안의 부뚜막에 올려놓은 시루에서 밥이 끓는다. 여종이 김이 모락모락 나는 시루 뚜껑을 연다.

앗, 우리 시대에 밥을 짓는 법과는 완전히 다르다. 우리 시대에 시루에서 떡을 찌듯, 가야에서는 밥을 찐다. 아직 고구려에서 사용하는 쇠솥이 없으니 고슬고슬한 밥을 짓지 못한다.

부인은 요리는 여종을 시켜도, 상차림은 손수 한다.

드디어 작달막한 나무 식탁 위에 군침 도는 아침상이 차려졌다.

음식보다 반찬 그릇에 눈길이 간다. 찬그릇은 흙으로 빚고 가마에 구워 낸 토기들이다. 그릇 모양이 제각기 다르고 개성적이다.

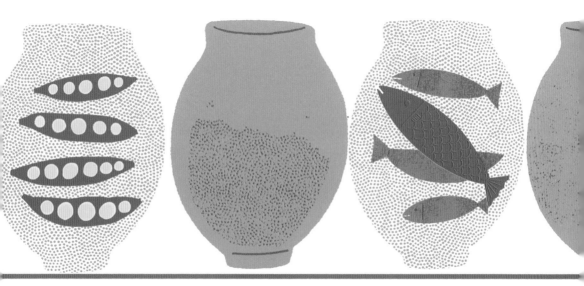

게다가 반찬과 토기의 모양이 아주 잘 어울린다. 예나 지금이나 요리의 완성은 플레이팅(음식을 먹음직스럽게 그릇에 담는 일)이지!

찐 밥은 손잡이가 양쪽에 달린 주발에 고봉으로 푸고, 국물이 자작한 찬은 신선로 모양의 토기에, 나물과 젓갈, 밑반찬은 칸막이 토기에 담았다. 누치(낙동강에 사는 잉엇과의 생선)는 뚜껑 달린 접시에 내어놓는다. 우물에서 방금 길어 온 물은 손잡이가 달린 잔에 찰랑

시루

부뚜막 모양 토기

거리게 따른다.

아침 상차림이 어찌나 정갈하고 멋스러운지! 부인은 우리 시대로 와서 푸드스타일리스트(food stylist, 음식에 어울리는 식기를 찾아서 음식이 돋보이게 하는 이)를 해도 잘할 것만 같다.

부인은 촌장님과 따님에게 아침을 차려 주곤 정작 본인은 아침을 한술 뜨는 둥 마는 둥 한다.

칸막이 토기

나무 식탁

그러더니 다락창고에서 여러 잔 토기를 낑낑거리며 꺼내 온다. 여러 잔 토기의 덮개를 여니, 뚜껑 달린 찬그릇 네 개가 앙증맞게 들어 있다. 부인은 밥과 반찬을 조금씩 덜어 담고 뚜껑을 잘 덮는다. 성내고 아침을 거른 채 토기 공방에 간 아들에게 보내는 도시락이다. 여종을 불러 인편에 보낼 참이다.

신선로 모양 토기

뚜껑 있는 항아리

손잡이 달린 잔

여러 잔 토기

가야의 '성형 미인' 촌장 댁 따님

아침을 먹은 뒤, 촌장 댁 따님은 외출 준비에 한창이다.

저고리와 치마를 죄다 꺼내선 이 저고리를 입었다 저 치마를 입었다 부산을 떤다.

마침내 따님이 가짓빛 저고리에 분홍빛 주름치마로 결정한다. 잘록한 허리에는 짙은 자줏빛 허리띠를 날아갈 듯 동여맨다.

이번에는 머리를 매만질 차례.

따님이 긴 머리를 정성스레 빗곤 뒤로 묶는다. 머리 손질을 하는 따님을 보는데 특이한 머리통에 눈길이 꽂힌다. 이렇게 생긴 머리통은 난생처음 본다. 아니, 박물관의 이집트 전시회에서 본 이집트 여왕의 머리통과 엇비슷한 것 같다.

언뜻 보면 앞통수, 뒤통수가 툭 튀어나온 짱구 같지만 자세히 보면 좀 다르다. 뒤짱구는 맞는데 얼굴 부분이 다르다. 앞짱구와 달리 앞이마가 납작하다. 게다가 눈썹과 정수리 사이의 길이가 비정상적으

신발 모양 토기

짚신 모양 토기

로 짧다.

전체적인 얼굴 인상이 이마가 뒤로 힘껏 당겨진 느낌이다. 그래서일까? 눈과 눈썹이 치켜 올라가고 코가 오똑해 보인다. 얼굴이 입체적으로 보이는 미인이다.

따님의 머리통은 태어날 때부터 이랬을까?

아니다. 갓난아이가 태어나면 이마에 돌을 대고 꽁꽁 묶어 놓는다. 갓난아이의 머리뼈는 말랑말랑하니까 반복해서 돌을 대면 이마가 납작해진다.

이런 가야의 성형 풍속을 '편두'라고 한다. 우리 시대에도 성형이 유행인데 가야에도 성형 풍속이 있구나!

그런데 촌장 댁 부인이나 여종들, 갯마을에서 마주친 여인들이 모두 편두를 한 건 아니다. 열이면 셋이 편두를 한단다. 아무래도 지체가 높은 집안에서 과시를 하기 위해 자식에게 편두를 시킨다.

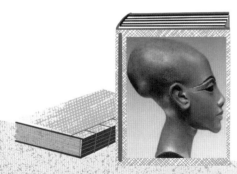

고대 이집트에서는 지위가 높은
여인들이 편두를 했다고 한다.

따님은 집을 나서기 전, 신발도 신경 써서 고른다. 가죽신을 신을까 하다가 날이 더우니 발가락이 드러나는 짚신을 고른다. 짚을 꼬아 만든 신발이라고 해도 엄지발가락과 나머지 네 발가락이 갈라진 샌들형 신발이다.

따님은 화사하게 꽃단장을 하고 누구를 만나러 가는 걸까?

오늘은 장시 가는 날

한편, 촌장 부인은 옥구슬 목걸이를 모조리 꺼내 놓는다. 이 목걸이, 저 목걸이를 걸어 보더니 고개를 흔든다.

'사돈 부인에게 드릴 옥구슬은 아라가야 걸로 마련해야지.'

부인은 혼기가 꽉 찬 딸에게 맞는 짝을 점찍어 놨다. 촌장 댁에 걸맞은 아라가야의 명문 가문이다. 혼담이 서로 오고 가니 사돈 댁에 드릴 폐백 준비를 서두른다.

부인은 어제 마름질한 딸의 옷을 사슴뼈 바늘로 대충 시침질을 한다. 시침질을 한 뒤, 가는 뼈바늘로 촘촘하게 바느질할 거다.

'봉황대에 가면 중국산 비단을 살 수 있을까?'

부인은 시침질을 하다 말고, 먼 곳을 응시한다.

봉황대 국제 시장에 가서라도 얼음 무늬가 자잘하게 박힌 '능'이라는 중국산 비단을 꼭 구하고 싶다. 그 능을 구해서 사돈 댁에 보내는 폐백 함에 넣을 궁리를 하는 중이다.

촌장 댁에서 멀지 않은 곳에 뽕나무밭이 있다. 부인은 여종들을 거느리고 누에치기를 해서 비단을 직접 짜고, 겨울과 여름의 옷감으로 쓴다.

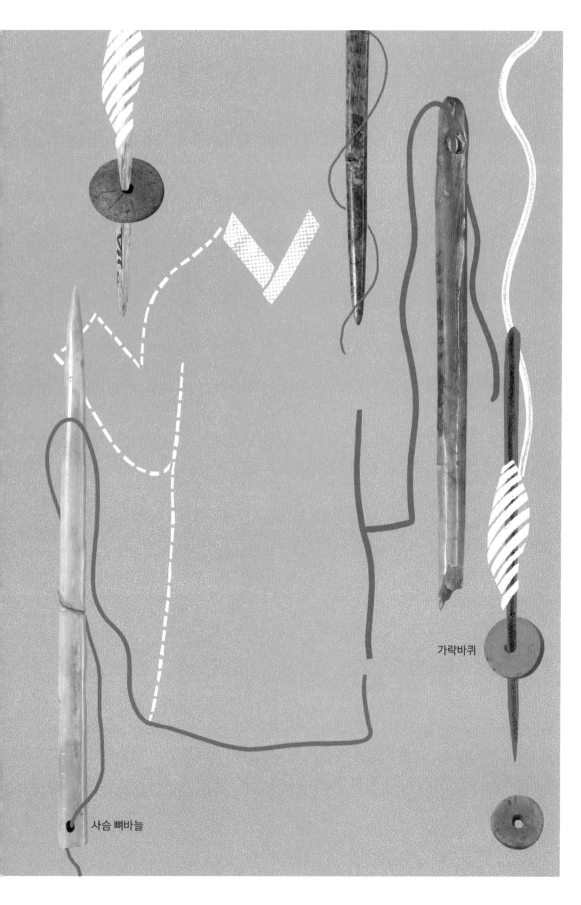

가락바퀴

사슴 뼈바늘

사실 부인은 집안에 필요한 모든 옷감을 잣고 뛰어난 눈썰미로 옷을 척척 만들어 낸다. 우리 시대로 치면 직물 공장과 의류 공장을 운영하는 셈이다.

다만 전문가의 솜씨로 정교한 작업을 해야 하는 무늬가 있는 비단은 집에서 잣기 어렵다.

가야에서는 며느리가 시부모에게 드리는 선물인 폐백을 중요하게 여긴다. 신분이 높을수록 화려한 폐백을 준비하는데, 폐백이 며느리 집안의 부와 권력을 과시하는 수단이기 때문이다.

가야에서는 시집가고 장가가는 혼인 풍속이 엄격하다. 신랑과 신부가 지켜야 할 게 분명하다. 부인은 행여 폐백 때문에 딸이 사돈 댁에 책잡히는 일은 피하고 싶다.

부인이 여종과 남종을 큰 소리로 부른다.

"옜다!"

부인이 남종에게 덩이쇠 여러 개를 내놓는다. 이 덩이쇠는 장시에서 화폐로 통용된다.

장시에 가서 아라가야산 옥구슬 목걸이와 멋들어진 토기 그리고 고령에서 나는 쌀과 잡곡을 사 오라고 시킨다.

부인은 폐백용 비단은 봉황대에 가서 직접 고를 생각이다.

◈ 사슴 한 마리로 장만하는 생활용품 ◈

말안장 손잡이
말 위에서 균형을
잡기 위해 손잡이를
만들었다.

뼈화살촉

뿔이나 뼈를 다듬어 화살
끝에 박아 사용했다.

재갈
말의 아가리에
물려 말을
부린다.

가죽과 뼈바늘
사슴의 뼈로 바늘을
만들고, 가죽으로
옷을 지어 입었다.

손잡이 칼

뿔의 속을 파내고
작은 칼을 끼워서
사용했다.

점치는 뼈

사슴의 뼈로 점을 쳤다.

5장

금관가야는
장인 전성 시대

학교 대신 토기 공방에 가다

잠깐 부인에게 한눈을 파는 사이, 촌장 댁 따님이 종종걸음으로 사라졌다. 하릴없이, 부인의 심부름으로 토기 공방에 가는 여종의 뒤를 쫓는다.

토기 공방은 마을 울타리 너머 강가에 있다. 멀리서도 토기 공방을 즉각 알아볼 수 있었다. 토기 공방 옆으로 경사진 곳에 토기를 굽는 가마가 보였기 때문이다.

토기 공방 옆으로 크고 작은 공방들이 처마를 잇대고 늘어서 있다. 공방들이 모여 있는 공방촌이다. 여러 공방을 둘러보니 장인 밑에서 일을 배우는 제자들은 모두 십 대 청소년이다.

가야에서는 학교 대신 공방에 간다.

가야 학생들은 각자 자신이 원하는 일에 따라 토기 공방, 옥 구슬 공방, 신발 공방, 소금 공방을 고른다. 공방은 전문 장인 밑에서 제자들이 그 분야 일을 배우는 '도제 제도(중세 때, 길드에서 수공업자가 후계자를 양성하는 제도)'를 운영하고 있다.

모든 공방이 열심히 배우고자 하는 학생들의 열기로 후끈 달아올라 있다. 직업 학교처럼 이론 교육과 현장에서의 실습 교육을 병행한다. 오늘날 제조업 강국을 만든 원동력이 된 독일의 직업 훈련인 '아우스빌둥(Ausbildung)'과 흡사하다. 우리 시대로 치면 직업 학교인 특성화고등학교에 해당한다고 할까.

토기 공방은 아담하다.

대개 일상생활에서 쓰는 붉은빛 토기는 마을 공방에서 자체 생산한다. 마을 여성들이 뚝딱 만들어 낸다.

이곳은 숙련된 장인이 운영하는 중간 규모 공방이다. 토기 공방 안을 훔쳐보니 스승과 제자가 한창 토기를 빚고 있다. 제자들은 촌장 댁 아드님과 비슷한 나이의 십 대 학생들이다.

숙련된 장인인 스승이 발 물레를 사용해서 발로는 물레 밑판을 돌리고 손으로는 물레 위판을 돌려 토기를 빚는 법을 보여 준다.

다음은 장인이 모양이 완성된 토기의 겉면을 정리할 차례이다. 겉면을 깎거나 문지르거나 두드리고 물로 손질하기도 한다.

장인은 '박자'를 이용해서 토기의 겉면을 손질한다. 버섯 모양으로 생긴 내박자로 토기 안을 다지고, 주걱 모양으로 생긴 외박자로 바깥을 정리한다. 이렇게 표면을 정리하면서 외박자에 새겨진 무늬가 자연스럽게 토기에 찍힌다.

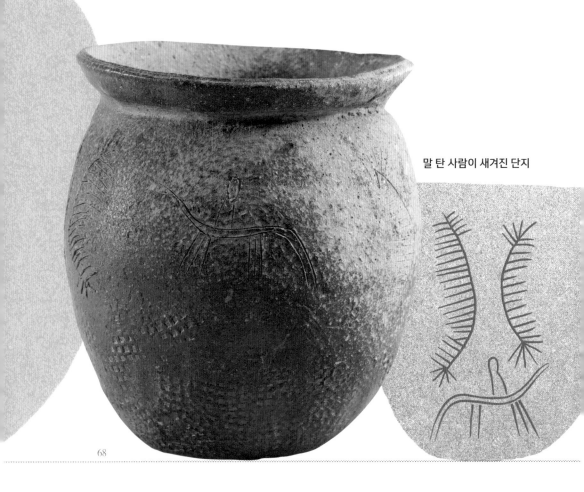

말 탄 사람이 새겨진 단지

금관가야의 토기들

　이번에는 장인이 작은 참빗같이 생긴 도구로 그릇을 돌려 가면서 물결무늬를 새긴다. 손놀림이 재빠르고 솜씨가 얼마나 좋은지 눈앞에서 보면서도 신기할 따름이다.

　어린 제자들은 스승의 손동작 하나하나를 눈으로 익혀 그대로 따라 하려고 안간힘을 쓴다.

　공방에서 따로 떨어져서 홀로 작업하는 젊은 도공이 눈에 들어온다. 갓 스무 살이나 됐을까? 수습딱지를 막 뗀 것 같다.

　이 청년 도공은 커다란 단지를 만드는 중이다.

　어라, 단지 겉면에 무슨 무늬를 새기는 거지?

　뒤로 슬쩍 가서 보니, 말 탄 사람을 쓱싹 새기고 있다. 그 주변에는 송충이같이 생긴 무늬를 서너 개 새긴다.

　스무 살 피 끓는 청춘이 맨날 공방에 갇혀 일하니 말을 타고 실컷 바깥세상을 돌아다니고 싶어서일까? 아니면 단순히 장난기가 발동한 것일까? 젊은 도공에게 물어볼까 하다가 '비밀'로 남겨 두기로 한다. 어느 쪽이든 유머 감각이 넘치는 청년이다.

　그러는 사이, 능숙한 장인은 흙을 조금 쓰고도 멋진 토기를 금세 빚어낸다. 제자들은 아직 서툴러서 흙을 많이 쓰고도 모양이 어설픈 토기를 어찌어찌해서 간신히 빚어낸다.

유난히 나이 어린 제자가 눈에 띈다. 물레를 돌리다가 아예 토기를 망쳐 버리곤 스승한테 꾸지람을 들었다. 무척 속상한지 구석으로 가더니 소맷부리로 몰래 눈물을 훔친다.

'힘내!'

어린 제자에게 마음속으로 뜨거운 응원을 보낸다.

제자들은 토기를 빚을 바탕흙을 발로 밟아 반죽하는 일, 가마에 쓰는 장작을 나르는 일, 불을 때는 일 같은 허드렛일을 도맡아서 한다.

제자들은 자신들이 하고 싶은 일을 배워서인지 딴짓을 하지 않는다. 학교에서 엎드려 자는 학생들이 많은 우리 시대 교실을 떠올리며 가야의 직업 학교가 한없이 부러울 뿐이다.

제자들이 그늘에서 말린 토기들을 가마로 옮긴다. 장인이 가마에

토기 만드는 순서

가야의 토기는 매우 단단한 것으로 유명하다. 토기는 가야인들에게 일상생활에서 쓰이는 그릇이면서 격조 높은 예술품으로, 가야의 무덤에서 가장 많이 나오는 출토품이다.

바탕흙 준비

토기 빚기

토기들을 쌓는 시범을 보인다.

가마 바닥에 짚을 깔고, 토기와 토기 사이에 토기 조각을 끼워 넣는다. 가마에서 높은 온도로 굽다 보면 토기가 바닥에 달라붙거나 토기들끼리 엉키는 것을 방지하기 위해서이다. 스승과 제자들이 가마에 매달려 있는 동안, 토기 공방에 진열해 놓은 토기들을 구경한다.

금관가야에서 자랑스럽게 손꼽는 화로 모양 그릇 받침과 짧은목 항아리, 뚜껑 있는 긴목항아리와 그릇 받침, 아가리가 꺾인 굽다리 접시가 전시되어 있다.

또 금관가야 밖에서 생산한 토기들도 진열되어 있다. 어린 제자들이 나라 안팎에서 만든 최고의 명품을 늘 가까이하며 도공으로서 꿈을 키우라는 의도가 숨은 듯하다.

이때 촌장 댁 부인이 보낸 여종이 문밖에서 어른거린다. 여종은 부

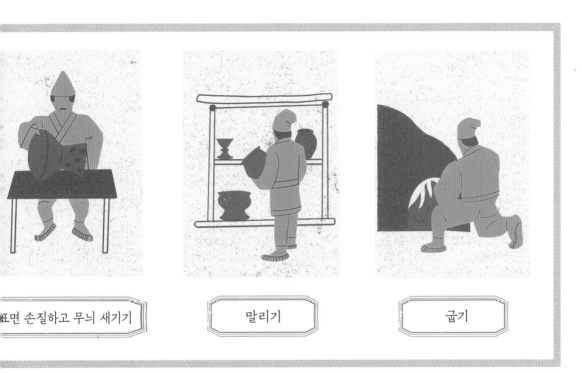

면 손질하고 무늬 새기기   말리기   굽기

인이 보낸 여러 잔 토기를 품에 안고 어쩔 줄 모른다. 아무리 찾아보아도 촌장 댁 아드님이 보이지 않는다며 울상을 짓는다.

'촌장 댁 아드님은 도대체 어디로 간 거지?'

우리는 갸우뚱하며 다시 토기로 눈길을 돌린다.

가야 토기는 브랜드 시대!

가야의 명품 토기들을 찬찬히 뜯어본다.

토기의 곡선이 부드러우면서도 안정감 있다. 특히 둥글고 아담한 몸통에서 목으로 연결되는 부분의 곡선이 참으로 빼어나다.

작은 항아리가 기다란 원통 모양 '그릇 받침' 위에 올려진 모습은 사랑스럽다. 항아리의 밑바닥이 편평하지 않아서 항아리를 올려놓는 '그릇 받침'들이 많다.

토기의 목에 새겨진 무늬는 또 어찌나 다양하고 예쁜지! 삼각 무늬, 파도 무늬, 나뭇잎 무늬, 물결무늬, 원 무늬, 소용돌이무늬, 수직 무늬, 애벌레 무늬, 반원형 무늬…….

새 모양 토기를 보다가 슬며시 웃는다. 새의 볏이며 뾰족한 꽁지, 주둥이가 실제 모습과 너무나 닮았다. 마치 새가 되똥되똥 걸을 것만 같다.

가야는 '토기의 나라'라고 할 정도로 다양한 토기를 만들어 낸다.

흙으로 빚고 가마에서 구워 내는 가야 토기에는 두 종류가 있다.

우선 한뎃가마에서 낮은 온도로 구워 붉은색을 띠는 무른 토기이다. 주로 일상생활에서 사용하는 그릇이다.

다음으로는 굴가마에서 1,000도 이상의 높은 온도에서 구워 회청색을 띠는 단단한 토기이다. 대개 의례나 장식, 무덤에 넣는 제기로

항아리

그릇 받침

기호가 새겨진 토기 조각

쓰인다.

명품 토기들은 국가에서 엄격하게 관리하는 대형 토기 공방에서 제작한다. 대형 토기 공방에서는 주로 회청색을 띠는 단단한 토기를 생산한다. 전문 장인들이 회청색 토기를 대량 생산하면 나라에서 각 지역으로 보낸다.

이런 대형 토기 공방은 토기 장인들끼리 모여 사는 전문가 마을에 있다. 전문 공방은 토기를 빚는 데 필요한 점토와 가마에 쓰는 나무 땔감이 많은 곳, 무엇보다 생산된 토기를 실어 나르는 데 편리한 강가나 바닷가 근처에 위치한다.

금관가야 밖에서 수입한 명품 토기들을 둘러본다. 아라가야에서 만든 토기를 보다가 이상한 암호 같은 걸 발견한다.

"앗, 이게 뭐지?"

삿자리무늬(갈대나 싸리의 발처럼 엇걸어 이룬 무늬)가 새겨

가야의 그릇 받침은 투창이 일직선으로 나 있고, 신라의 그릇 받침은 투창이 어긋나게 뚫려 있다.

가야 그릇 받침

진 짧은목항아리의 몸통 아랫부분에 이상한 기호 같은 게 있다.

1, 2, 3, 4, 5같이 숫자처럼 생긴 기호, 영어 알파벳처럼 꾸불꾸불한 기호, 특수한 모양을 본뜬 것 같은 기호가 새겨져 있다.

우아, 이 기호는 토기에 새겨진 '브랜드(상표)'이다!

아라가야의 도공들이 자신이 만든 토기라는 사실을 새겨 둔 것이란다. 이런 기호가 새겨진 토기는 일단 '메이드 인 아라가야'임을 알 수 있고 기호의 종류에 따라 어떤 도공이 만들었는지를 알 수 있단다.

이런 기호는 삿자리무늬 짧은목항아리가 한꺼번에 대량으로 만들어지면서 도공들이 자신이 만든 토기임을 알리는 상표를 새겨 넣은 것이라고 한다.

가야는 장인을 우대한다.

다양한 분야의 장인을 존중하는 사회라면 서슬 퍼런 신분제 사회라기보다는 수평적인 사회일 것이다.

신라 그릇 받침

옥 공예 공방에서

옥 공예 공방 밖에서 잠시 걸음을 멈춘다. 촌장 댁 부인이 애지중지하는 옥구슬 목걸이들이 떠올랐다. 사실 가야 사람의 옥구슬 사랑은 유별나다.

예로부터 중국 역사책에 "가야 사람들은 금이나 은보다 옥과 구슬을 더 좋아한다."라는 기록이 있단다.

옥공예 공방에서도 도제 제도가 운영되고 있다.

옥 장인 밑에서 수습생들이 일사불란하게 옥을 다듬는 중이다. 다들 얼마나 일에 집중하는지 바늘 떨어지는 소리도 들릴 정도로 조용하다. 한쪽에 가공하지 않은 옥과 유리, 수정, 마노가 산더미같이 쌓여 있다. 수습생들이 이런 원재료를 반달 모양의 곡옥, 둥근 모양, 대추 모양, 대롱 모양으로 갈거나 다각형 모양으로 각지게 커팅한다.

쓱쓱 쓱쓱. 옥을 가는 소리만 들린다.

수습생들은 먼저 돌이나 나무같이 딱딱한 물체에 문지르다가, 가죽에 대고 정교하게 간다.

오랜 시간이 걸려 잘 다듬어진 구슬은 투명하게 빛나고 옥은 남색, 겨자색, 붉은색으로 영롱하게 빛난다.

또 옥이나 구슬을 실로 꿰기 위해선 구멍을 내야 한다. 옥에 돌로 흠집을 살짝 낸 다음, 그 위에 유리나 쇠붙이를 가는 데 쓰는 금강사라는 공업용 돌가루를 뿌린다. 그리고 날카로운 나무 막대기를 손으로 비벼 구멍을 뚫는다. 한 알의 옥에 구멍을 뚫으려면 손바닥이 닳도록 손을 비벼야 한다.

드디어 옥을 실로 꿰어 옥 목걸이가 완성된다. 그야말로 옥구슬 같은 땀을 한 양동이 흘려서 얻은 옥 목걸이다.

가야의 옥구슬

가야 사람들은 옥구슬 장신구를 즐겨 착용했다. 이른 시기에는 가슴까지 내려오는 길고 화려한 목걸이로 꾸미다가 점차 짧고 단순한 옥 목걸이를 걸었다. 나중에는 옥 대신 금은으로 된 장신구를 선호했다.

옥 꾸미개

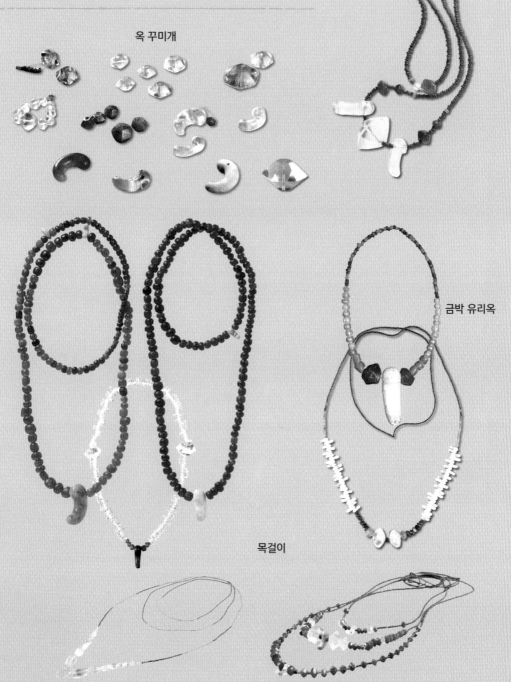

금박 유리옥

목걸이

문신 새긴 젊은이의 정체는?

공방촌을 나와 봉황대 항구로 가는 길이다.

앗, 바닷가에서 촌장 댁 따님을 보았다! 화사하게 꾸민 따님이 웬 우락부락한 젊은이와 속닥거리고 있다. 다정한 눈빛을 주고받는 걸 보니, 두 사람은 서로 사랑하는 사이인 게 분명하다.

촌장 댁 부인이 사돈에게 드릴 폐백을 정성껏 준비하는 걸 봤기에 마음이 어수선하다. 게다가 그 젊은이는 윗옷을 벗었는데, 놀랍게도 어깨와 팔에 어지러운 문신을 하고 있는 게 아닌가.

'아니, 우리 시대에는 조직 폭력배들이 문신을 하는데?'

가야에 조직 폭력배가 있을 리 없고, 거리에서 패싸움을 일삼는 불량한 깡패는 아닌지. 따님이 걱정되어 두 사람의 뒤를 살금살금 밟는다.

두 사람은 푸른 바다에 이른다.

갑자기 그 젊은이가 끝이 삼지창처럼 갈라진 작살(작대기 끝에 뾰족한 쇠꼬챙이를 박아 물고기를 찔러 잡는 기구)을 들고 바다로 풍덩 뛰어든다.

젊은이가 바닷물 속으로 미끄러지듯 헤엄친다. 바다에서 자맥질(물속에서 팔다리를 놀리며 떴다 잠겼다 하는 일)을 하며 한동안 잠수를 한다.

"후아!"

거친 숨소리와 동시에 어깻숨을 몰아쉬며 젊은이가 물 위로 불쑥 떠오른다. 삼지창 끝에 커다란 물고기가 파닥파닥한다.

낚싯바늘

알고 보니, 젊은이가 몸에 문신을 새긴 이유는 물속에서 마주치게 되는 거대한 물고기나 고래, 상어에게 겁을 주기 위해서란다.

몸에 문신을 새기면 물고기한테 몸집이 부풀려 보인단다. 문신은 바늘로 살가죽을 찌른 뒤 먹을 넣어 새긴다.

바닷가에 살며 물질로 먹고사는 사람들은 곧잘 문신을 새긴다. 이웃 왜의 풍속으로 알려졌지만 백제나 신라에서도 문신을 새기기도 한단다.

갯마을은 낙동강과 남해에 접해 있다. 그래서 강이나 바다에서 물고기를 잡고 조개, 굴, 다시마를 캐는 일로 먹고산다. 물고기는 낚시로 잡거나 그물을 쳐서 잡는다. 또 젊은이처럼 물에 들어가 작살로 물고기를 찍어 잡기도 한다.

따님이 젊은이를 향해 두 손을 흔든다. 젊은이가 전리품처럼 물고기를 머리 위로 쳐든다.

젊은이의 어깨와 두 팔에 아로새긴 문신이 금빛으로 빛난다.

쇠 작살

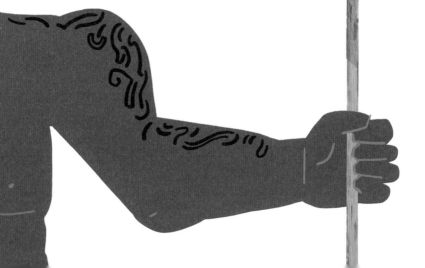

6장

봉황대
국제 항구에 가다

국제 무역항에서 만난 외국 상인들

봉황대 항구에 다다랐다. 입구에 말을 매어 둔다.

항구에 도착하자 여기저기서 외국어가 귓가에 웅웅거린다. 소리의 높낮이가 뚜렷한 말, 나긋나긋한 말이 항구를 떠돈다.

정오의 항구는 아연 활기가 넘쳐 난다. 거친 뱃사람들이 거리를 활보한다. 항구의 거리와 골목은 뱃사람들을 맞이하여 흥청망청이다.

중국, 왜에서 온 외국 상인 그리고 고구려, 백제, 신라에서 온 상인들이 항구 곳곳에서 교역(나라와 나라 사이에서 물건을 사고팔거나 서로 바꿈)을 벌이고 있다. 마치 우리 시대 최대의 국제 항구인 부산항에 온 듯이 떠들썩한 분위기이다.

봉황대는 금관가야의 국읍이지만 국제 항구이기도 하다.

봉황대 항구는 낙동강과 남해가 만나는 지리적 이점을 이용해서 중국-금관가야-왜를 잇는 국제 무역의 중심지가 되었다.

한 번에 몇 년씩 걸리고 온갖 위험이 도사린 머나먼 뱃길로 중국과 왜를 오가려면 중간에 잠시 들르는 항구가 필수적이다. 봉황대 국제 무역항이 바로 중간에서 쉬는 기항지 역할을 한다.

그뿐 아니라 금관가야는 철이 풍부하게 생산되고 유통되는 곳이다. 고대의 핵심 산업 재료인 철을 구하기 위해 동아시아 여러 나라들의 배가 몰려든다.

해안가를 따라 닻을 내린 배들이 늘어서 있다. 해풍에 사각 돛이 우렁차게 펄럭거린다. 어깨를 맞대고 빽빽이 늘어선 배들의 돛대가 하늘을 찌를 듯 솟아 있는 모습이 장관이다.

우리의 눈길을 끈 것은 봉황대 앞의 항구 시설이다.

해안가 곳곳에 자갈이 깔린 경사면을 설치해 놓았다. 하루에 두 차례씩 밀물 때가 오면 힘들이지 않고 배를 재빨리 끌어 올릴 수 있

말 투구

말 띠 드리개

굽다리 항아리

항아리

일본에서 발견되는 가야 유물

덩이쇠
가운데가 잘록한 모양의 쇠판.
화폐로 통용되었으며, 이 덩이쇠
로 온갖 철 제품을 만들 수 있다.

는 시설이다.

또 나무다리를 바닷가 쪽으로 내어,
사람과 짐이 편하게 오르내릴 수 있도록 한 특수
시설도 보인다.

선착장에서 일꾼들이 배에서 무거운 짐을 부린다. 그 짐들을
말이나 소가 끄는 수레에 싣느라 정신없이 바쁘다.

선착장에서 대형 창고까지, 돌을 깔고 진흙으로 다진 '가야식 산
업 도로'가 잘 깔려 있다. 폭이 꽤나 넓은 도로 위로 덜커덩, 덜커덩
소리를 내며 달리는 수레 소리가 요란하다!

해안가 곳곳에 세워진 대형 창고 앞에서 외국 상인들과 가야 상인들이 거래를 하느라 바쁘다.

오랜만에 만난 상인들이 수인사를 나눈다. 그중에서 고깔모자를 쓴 가야 상인과 비단옷을 휘감은 중국 상인이 반갑게 인사를 나누는 현장으로 간다.

"요즘 경기는 어떤가요?"

"예전 같지 않지요. 아주 힘들어요."

상인들이 본격적인 거래를 시작하기 전 너스레를 떤다. 예나 지금이나 장사가 잘된다는 상인을 찾아보기 힘들지만, 봉황대 항구의 경기가 예전 같지 않은 건 사실이다.

중국 상인은 지금의 동북 삼성(중국의 북동부에 위치한 랴오닝성, 지린성, 헤이룽장성)에 해당하는 삼연에서 온 이들이다. 삼연이란, 중국에서 북방 민족이 지배하던 5호 16국 시대 중에서 전연, 북연, 후연, 즉

배 모양 토기

바람개비 모양 청동기

돌 화살촉   옥 화살촉

가야에서 발견되는 왜 유물

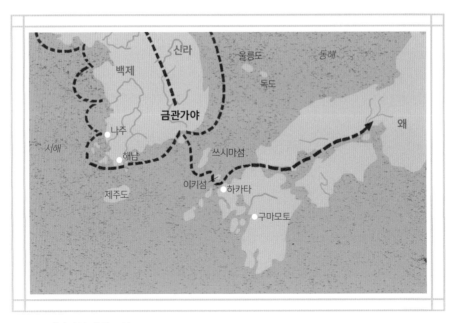

금관가야와 왜의 교역로

3세기 이전 김해 지역 대외 교역은 주로 규슈 지방에 집중되었지만, 4세기에 접어들면 긴키의 야마토 정권으로 교체되었음을 말해 준다.

삼연이 지배했던 때이다.

중국 삼연 상인들은 중국 관리의 고급스러운 허리띠 꾸미개와 금동제 말갖춤을 내놓는다. 특히 금동제 등자가 좋다며 강력하게 추천한다. 삼연은 북방 민족의 나라라서 말갖춤 제품이 발달했다.

모두 가야 지배층이 필요로 하는 '위세품', 그러니까 우리 시대로 치면 자신의 신분과 부를 과시하기 위한 명품이다.

그런데 한눈에 보아도 왜에서 온 상인들의 수가 압도적으로 많다. 4세기 초, 고구려가 낙랑군과 대방군을 한반도에서 몰아내고 서해를 장악하면서 중국과의 교역은 눈에 띄게 줄어들었다. 동시에 왜와의 교역이 갈수록 중요해지고 있다.

왜의 상인들은 철과 가야의 선진 문물을 수입하는 데 열을 올린다. 왜는 철을 생산하는 기술이 없다. 철 제품을 만들려면 가야에서 수입되는 철에 매달릴 수밖에 없는 처지다.

왜는 맞바꿀 물건으로 바람개비 모양의 청동 방패 꾸미개, 돌 화살촉, 해산물을 내놓는다.

왜인들은 가야에 눌러앉아 살기도 한다. 대규모 토목공사 현장에 가면 왜에서 온 일꾼들이 많단다. 왜인들이 모여 사는 마을도 생겨나고 가야 여성과 혼인해서 정착하는 왜인들도 늘어난다.

가야 상인은 뻣뻣한 고자세로 '덩이쇠'를 내놓는다. 덩이쇠는 열 개씩 끈으로 묶어 놓았다. 덩이쇠를 가져가서 녹이면 어떠한 철 제품도 만들 수 있다.

덩이쇠는 어디서나 물건으로 바꿀 수 있는 화폐처럼 사용된다. 금관가야에서 생산되고 유통되는 덩이쇠의 인기는 식을 줄 모른다.

동전 한 닢이 알려 주는 해상 왕국

"옛날 호시절이 그립구먼!"

"……."

고깔모자를 쓴 가야 상인의 한탄에 중국 상인이 말없이 고개를 주억거린다.

가야 상인이 말하는 '호시절', 곧 잘나가던 시절이란 3세기 금관가야가 한반도 서북쪽의 낙랑, 대방과 활발하게 교역을 하던 전성기를 말한다.

낙랑과 대방에 사는 중국인, 일본 열도에 사는 왜인, 한반도 남부에 사는 삼한과 한반도 동북부에 사는 동예 사람들이 봉황대 항구에 몰려들었다.

가야산 덩이쇠가 날개 돋친 듯 팔려 나가고 금관가야 상인들이 철 수출로 거대한 부를 축적하던 시절이었다.

갑자기 가야 상인이 허리에 찬 비단 주머니를 풀어 헤치더니 동전 한 닢을 꺼내어 중국 상인에게 뽐낸다.

"이게 수백 년 된 중국 동전이라오. 대대로 중국과 장사를 해 온 우리 집안에서 간직하고 있는 물건이라우!"

중국 상인이 신기한 듯이 동전을 자세히 살펴본다. 평소에 부드러운 천으로 잘 닦아 두었나 보다. 반질반질한 동전이 햇빛에 반짝거린다.

'앗, 저 동전은!'

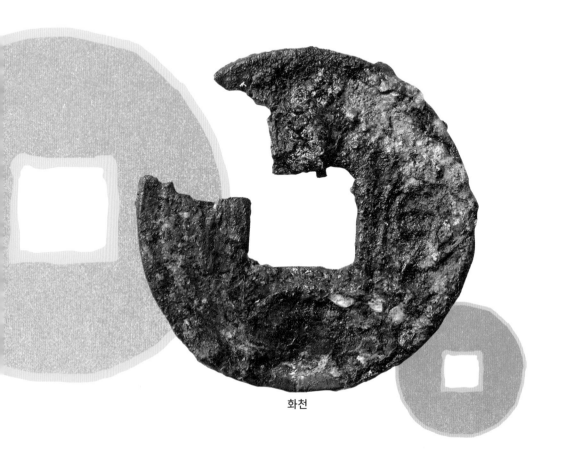

화천

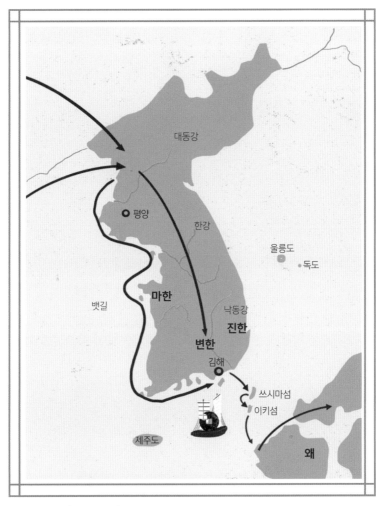

중국 화폐 화천의 이동 경로

낙랑, 대방에서 김해를 거쳐 규슈 북부에 이르는 바닷길은 기원 전후부터 3세기 후반까지 고대의 동아시아 세계를 연결하는 주요 무역로였다. 김해의 가락국은 중국과 일본 열도를 연결하는 유일한 중개 무역항이었다.

저건 갯마을 조개더미 속에서 주운 동전, '화천'이잖아? 까맣게 잊고 있다가 얼른 호주머니를 뒤진다. 동전을 꺼내 만지작거린다.

"어린 시절, 부친께 직접 들은 말이오. 우리 집안에 대대로 전해 내려오는 이야기라오.

중국 대방군에서 출발한 배가 '화천'을 잔뜩 싣고 서해안을 따라가다가, 남해안으로 접어들면 우리 가야 땅에서 닻을 내렸소.

대방군에서 규슈까지는 2년에서 2년 반이 걸리는데, 기나긴 항해에서 처음으로 뭍에 오르는 것이었소. 그때 우리 먼 윗대 할아버지가 덩이쇠를 팔면서 받은 돈이, 지금 내 손바닥 안에 있는 '화천'이라오.

여기서 다시 바닷길로 천 리를 가면 쓰시마섬에 닿고, 거기서 다시 천 리를 가면 이키섬에, 또다시 천 리 뱃길을 가면 규슈 북부에 도착했다는구려. 돌아가는 길에 다시 이 항구에 들러 왜에서 사 온 물건을 팔고 '화천'을 받아 갔소.

수백 년 동안, 바로 이 항구에서 세상의 온갖 진귀한 물건들이

가야와 왜의 교역품

원통 모양
청동기

손잡이 달린 항아리

청동 투겁창

모이고 팔려 나갔소.”

긴 이야기를 마친 가야 상인이 오른손을 이마에 붙여 바닷물에 반사되어 더욱 따가운 정오의 햇살을 피한다.

역사학자들의 연구에 따르면 화천은 서기 9년 중국 신나라의 왕망이 만든 동전이란다. 화천은 김해뿐만 아니라 평양과 황해도 일대, 바다 건너 일본의 규슈 북부 지역과 오사카만에서도 발견된단다.

이 화천이라는 동전이 딱 10년간만 사용되었다는데 금관가야에서 발견된 사실이 놀랍다. 금관가야가 중국, 왜와 왕성한 교역을 벌인 ‘해상 왕국’이었다는 명백한 증거이다.

가야 상인이 실눈을 뜨고 먼바다에서 오는 배를 바라보며 한마디를 덧붙인다.

“예로부터 우리 가야 항구에서는 덩이쇠 자랑 말라고 했소. 그 시절엔 항구를 떠도는 개들도 덩이쇠를 물고 다녔다오.”

요즘 불경기를 걱정하던 그는 봉황대 항구에 덩이쇠가 넘쳐 나던 시절이 몹시 그리운가 보다.

금관가야가 해상 왕국이었던 시절의 흥미진진한 이야기를 뒤로하고 항구를 떠날 채비를 한다.

가야와 낙랑의 교역품

오수전

청동 거울

봉황대 항구를 떠나며

"아니, 저분은?"

항구를 빠져나가다가, 중국 장사꾼 사이를 기웃거리는 촌장 댁 부인을 봤다.

반가운 마음에 달려가 보니, 부인은 한껏 기쁨에 들뜬 눈치다. 부인 뒤에서 남종이 비단을 나귀에 싣는 중이다. 부인의 소원대로 귀하디귀한 중국산 비단인 '능'을 구한 것이다.

예나 지금이나, 집안끼리 하는 혼인을 주장하는 부모 세대와 사랑을 찾는 자식 세대는 부딪치기 마련이다. 부인의 정성스러운 마음과 따님의 애틋한 사랑을 모두 지켜본 우리로서는 그저 안타까울 따름이다.

봉황대 항구 입구에 매어 둔 말을 찾으러 가는 중이다. 길갓집을 지나는데 누린내가 진동한다.

호기심이 발동해서 안을 들여다보니 눈먼 점쟁이가 점을 치는 중이다. 점쟁이 앞에 앉아 있는 이는? 어머나, 초조한 표정의 갯마을 촌장님이잖아?

점쟁이가 사슴 어깨뼈를 두 손으로 들고 있다. 사슴 어깨뼈에는 가로와 세로로 줄을 맞추어 둥근 홈이 가지런히 파여 있다.

점쟁이가 뜨겁게 달군 꼬챙이로 둥근 홈을 지진다. 지지직.

불로 지진 홈을 따라 사슴 어깨뼈에 금이 간다. 점쟁이가 사슴 어깨뼈를 조심스럽게 뒤집어 놓는다. 보이지 않는 두 눈을 껌뻑거리며 금이 간 모양과 방향을 손가락으로 더듬거린다.

가야에서는 전쟁이나 중요한 일이 있을 때 사슴 어깨뼈로 길흉을 점친다.

“……”

침묵이 흐른다.

한참 지났는데도 점쟁이가 좀처럼 입을 떼지 않는다.

“길하오, 흉하오?”

“……”

촌장님이 참다못해 점괘를 내놓으라고 닦달한다.

그제야 점쟁이가 어렵사리 입을 연다.

“내년에 전쟁이 날 것이오. 아주 큰 전쟁이!”

점쟁이의 목소리가 가늘게 떨린다. 두려움에 휩싸인 것 같다.

“그 전쟁의 점괘가 어찌 나왔소?”

“흉하오.”

점쟁이가 짧게 대답하며 돌아앉는다.

점괘가 좋지 않게 나오자 촌장님 얼굴이 일그러진다. 촌장님이 깊은 한숨을 내쉬며 두 손으로 머리를 감싼다. 어쩌면 촌장님은 이런 금관가야의 운명을 일찌감치 예감했을지도 모른다.

말을 매어 둔 곳으로 돌아왔다. 이제 금관가야를 떠날 때가 되었다. 그런데 발길이 쉽게 떨어지지 않는다. “흉하오.”라고 하던 점쟁이의 말이 귓가를 맴돈다.

불행하게도, 점괘는 정확하게 들어맞았다.

우리가 금관가야를 방문한 다음 해, 고구려의 광개토 대왕은 신라가 구원의 손길을 내밀자 보병과 기마병으로 이루어진 5만의 무적의 군사를 이끌고 파죽지세로 금관가야를 공격한다.

고구려-신라 연합군과 금관가야-백제-왜의 연합군이 치열한 전투를 벌인 전쟁, 바로 400년 ‘고구려 광개토 대왕의 남정’이다.

금관가야의 기마 무사대는 있는 힘껏 싸웠으나 끝내 종발성에서

고구려군에 항복하고 말았다. 이 전쟁을 계기로 금관가야는 대가야
에 맹주의 자리를 넘겨주고 쇠락하고 만다.

　이런 역사적 사실을 알고 있는 우리로서는 금관가야를 떠나는 마
음이 착잡할 수밖에 없다. 게다가 우리의 여행 스타일은 처음 출발
했던 마을과 집으로 돌아오며 하루의 긴 여정을 끝내는 여행이었지
만, 이번 여정에서는 금관가야로 다시 돌아올 수 없다.

　그럼에도 여행자는 한곳에 머물 수 없는 법. 다시 길을 떠나야 한
다. 우리는 애잔한 마음을 품고 말 위에 올라타서 등자를 박차고 고
삐를 채쳐 갈 길을 재촉한다.

　갑자기 구름이 해를 가린다.

　지나가는 길에 있는 조개더미로 '화천'을 힘껏 던진다. 시간 여행에
서 얻은 물건은 제자리에 돌려놔야 하는 법이니까.

　우리 시대 고고학자들이 가야가 해상 왕국이었다는 사실을 알려
주는 이 동전을 발견하기를 간절하게 바라며!

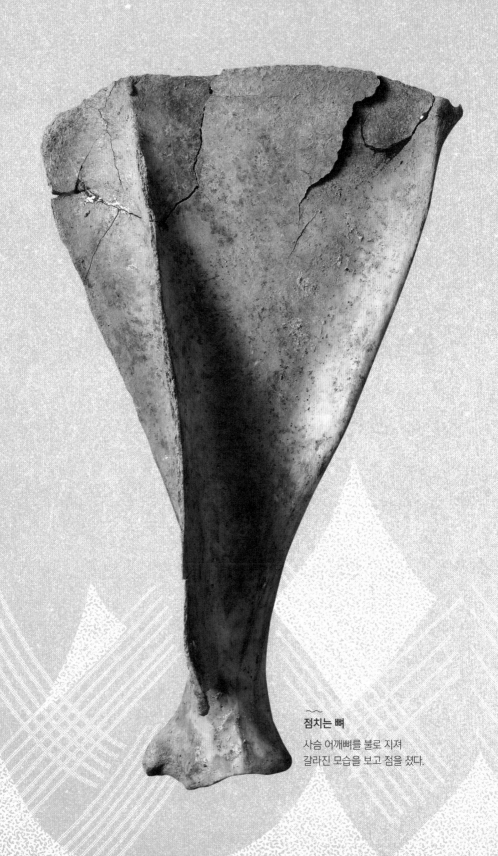

점치는 뼈

사슴 어깨뼈를 불로 지져
갈라진 모습을 보고 점을 쳤다.

7장
하늘에서 본
가야의 가을

가야의 하늘에 두둥실 떠올라

해가 공중으로 치솟았다!

가을 하늘이 청청하다. 늦가을 날씨가 구름 한 점 없이 맑다. 가을이라도 정오가 지난 무렵의 햇살은 따갑다.

"워워."

말고삐를 잡아당겨 잠시 멈추어 선다. 따가운 햇살을 등지고 서서 가야를 한눈에 볼 꾀를 내는 중이다.

좀 엉뚱한 일을 시도하려고 한다.

가야 하늘 높이 상상의 열기구를 띄우려고 한다. 열기구 따위는 시시하다고? 그럼 〈닐스의 모험〉에 나오는 하늘을 나는 거위 모르텐의 등에 올라탔다고 상상해도 좋다. 아니면 우리 시대에 유행하는 드론을 띄우는 것도 멋지다.

공중에 높이 떠서 가야를 가만히 내려다보도록 하자.

가야의 동쪽으로 흐르다가, 동남쪽으로 휘돌아 굽이쳐 흐르는 낙동강이 가장 먼저 눈에 들어온다. 우리 시대에 녹조가 잔뜩 끼어 있는 오염된 낙동강과는 전혀 다르다. 깊은 물속이 훤히 비치는 푸른 강물이 굽이굽이 흐른다.

낙동강은 가야 문화의 젖줄이다. 낙동강 중하류를 기준으로 그 서쪽이 가야 땅, 동쪽이 신라 땅이다. 낙동강은 가야, 즉 가락의 동쪽이라는 데서 나온 이름이다.

낙동강 하류의 고김해만에서 강은 바다와 만난다. 봉긋이 솟은 작은 섬들, 짙푸른 물결이 출렁대는 남해가 가야의 남쪽 끝이다.

눈을 다시 뭍으로 돌리면, 가을걷이를 앞둔 황금빛 들녘이 바람 부는 대로 파도처럼 일렁거린다.

우리의 눈길은 동북쪽으로 향한다. 병풍처럼 솟은 가야산과 덕유산에 꽂힌다. 서북쪽으로는 끝없이 능선이 이어진 지리산이 있다. 여기가 가야의 북쪽 끝이다.

고대에 있던 나라, 가야의 영토가 어디까지라고 정확히 선을 긋기는 어렵다. 대체로 지금의 경상남도 지역에 해당하지만 대가야는 내륙 지방인 지금의 경상북도 고령에 있다.

또 시기에 따라 영토가 달라지기도 한다. 대가야의 전성기에는 소백산맥과 섬진강을 훌쩍 넘어 지금의 전라도 땅인 남원, 임실, 장수, 여수, 순천에 이르렀다. 놀랍게도, 가야는 경상도와 전라도를 아우른 나라이기도 하다.

가야의 방방곡곡에 노랗게, 붉게 꾀꼬리단풍이 물든다! 가야산, 덕유산, 지리산의 첩첩한 봉우리와 깊은 계곡마다 단풍이 곱다. 자연의 팔레트에서 뚝뚝 떨어진 쪽빛, 붉은빛, 노란빛, 황금빛, 갈맷빛이 산에, 들에, 바다에 화려하게 색칠되어 있다. 진정 눈이 즐거운 색채의 향연이다.

우아, 저 도도록하게 솟은 무덤들 좀 봐!

눈길이 가야 지배자의 무덤에 꽂힌다. 우리 시대에 '가야 고분군'으로 알려진 무덤들이다. 요즘 유네스코 세계 유산 등재에 박차를 가하고 있다. 가야 무덤은 낮은 언덕이나 산의 능선을 따라 모여 있다. 일단 평지에 낮은 산처럼 동그랗게 쌓아 올린 조선 왕릉이나 신라 왕릉과 다르다. 가야 무덤은 봉긋봉긋 솟아 있는 무덤의 옆선이 미끈하게 흘러내린다. 그 빼어난 곡선의 아름다움에 혀를 내두른다.

가야의 상공에서 굽어보니, '가야에 속한 작은 나라들'은 대부분 산으로 둘러싸인 좁은 분지에 있는 게 훤히 보인다.

사실 오전 내내 금관가야에 머물면서 가야와 금관가야를 의도적으로 구별하지 않았다. 별다른 설명 없이, 아라가야와 대가야 이야기를 슬쩍 끼어 넣은 적도 있다.

이제 금관가야와 아라가야가 가야에 속하는 12개가 넘는 나라 중의 하나라는 사실을 밝힐 때가 되었다. 한때는 22개가 넘는 작은 나라가 있었다. 이런 작은 나라들은 대개 분지에 세워져 있다.

우리나라를 자동차로 여행하다 보면 터널을 수없이 통과하게 된다. 우리나라는 산림 면적이 국토의 60~70%를 차지하는 세계 4위의 산림 국가이다. 우리 시대에야 산에 터널을 뚫어 교통로를 만든다지만, 조선 시대까지도 웬만해서는 산과 고개를 넘어 다니기 힘들었다.

산으로 가로막힌 분지에 있는 '가야의 작은 나라들'은 나라 밖으로 세력을 키우기도, 나라와 나라를 합치기도 힘들었을 것이다. 작은 나라들은 강력한 왕권을 중심으로 한 고구려, 백제, 신라와는 다르게 여기저기 흩어진 채 성장해 왔다.

통일 왕국을 이루지 못한 채, 작은 도시 국가처럼 성장한 '가야의 작은 나라들'을 보면서 문득 이탈리아를 떠올린다.

늦어도 너무 늦은 1870년에야 이탈리아 통일 운동(리소르지멘토)을 거쳐 어렵게 통일된 나라, 이탈리아는 작은 도시들이 각 도시마다 고유한 개성과 멋, 맛을 뽐낸다.

이 도시들을 돌아본 사람들은 "어쩌면 같은 게, 아니 비슷한 게 하나도 없지?" 하며 놀라움과 감탄을 금치 못한다. 이탈리아의 작은 도시가 지니고 있는 개성과 다양성이 전 세계의 관광객들을 불러모은다.

'가야에 속한 작은 나라들'도 개성과 다양성이라면 이탈리아 못지않다. 금관가야에 이어 오후와 저녁에 아라가야와 대가야를 방문해서 그 개성과 다양성을 찾아 나설 것이다.

그 전에 우리가 반드시 해야 할 일이 있다.

진안 황산리

장수 삼고리

덕유산

가야산
고령 지산동 ...
합천 반계제

임실 금성리　장수 동촌리

합천 옥전 고분군

함양 백천리
산청 생초

남원 월산리

산청 중촌리　합천 삼가

남원 유곡리·두락리 고분군

함안

의령 운곡리

지리산

의령 중동리

대가야

진주 옥봉·수정봉

하동 흥룡리

소가야

고성 내

순천 운평리

사천 선진리

고성 송학동
고분군

여수 고락산성

가야 고분
세계 유산 등재 추진 고분군

녕 교동·송현동 고분군

낙동강

창원 다호리

김해 대성동 고분군

김해 양동리

현동   금관가야

거제 장목

가야 제국 지도

가야는 낙동강 서쪽에 있는 변한 지역에서 일어난 나라였다.
<삼국사기>에는 가야의 영토가 동쪽은 황산강(현재 낙동강 하류 지역),
서남쪽은 푸른 바다, 서북쪽은 지리산, 동북쪽은 가야산, 남쪽은 나라
끝이라고 기록되어 있다.

우리가 가지 않은 가야를 소개합니다

후유.

안타까움에 한숨이 절로 난다. 아득한 시간을 거슬러 여기, 가야까지 왔는데! 시간이 빠듯해서 코앞에 두고도 다 갈 수 없다니! 하기야 '우리는 고작해야 하루치기 여행자니까.' 하고 스스로 마음을 달랜다.

아쉬움을 뒤로하고, 가야 상공에서나마 직접 가지 못하는 '가야에 속한 작은 나라들'을 하나하나 눈으로 찾아 본다. 우리 역사에 버젓이 존재했었는데도, 무심히 잊혀 간 그 이름들을 공중에 대고 불러 본다.

"부산 동래의 거칠산국이여! 고성의 소가야여! 합천의 다라국이여! 창녕의 비사벌가야여! 마산의 골포국이여! 창원의 탁순국이여! 사천의 사불국이여! 거제의 독로국이여! 기장의 장산국이여! 진영의 탁기탄국이여! 칠원의 칠포국이여! 밀양의 미리미동국이여! 거창의 거열국이여! 임실의 상기문국이여! 남원의 하기문국이여……!"

"산산이 부서진 이름이여!

허공중(虛空中)에 헤어진 이름이여!

불러도 주인(主人) 없는 이름이여!"(소월의 <초혼> 중에서)

옛날 우리 조상들이 '초혼제'에서 한 대로, 지붕에 올라가 죽은 사람의 이름을 세 번 부름으로써 그 사람을 다시 살리려는 의식처럼, 이렇게라도 공중에 그 이름을 목놓아 부르면 우리 역사 속에서 무참히 잊힌 작은 나라들이 되살아날 것만 같다.

아아, 가야에 이렇게나 많은 나라들이 있구나!

'가야에 속한 작은 나라들' 대부분이 지금의 경상남도 도시들과 얼추 일대일로 대응된다. 가야는 사라지고 잊혀 갔을지라도, '가야에 속한 작은 나라들'은 지금의 부산 동래부터 시작해서 김해, 창원, 마산, 창녕, 함안, 합천, 고령, 고성, 사천, 진주, 하동으로 연면히 고장의 맥을 이어 오고 있다.

우리는 해인사가 있는 합천 다라국을 금세 찾아낸다. 다라국은 '황금 칼과 옥의 나라'이다. 손잡이에 금동과 은으로 용과 봉황이 화려하게 새겨진 황금 칼, 그리고 옥의 밭이라고 할 정도로 옥구슬이 많은 나라이다. 가야인의 얼굴이 어른거리는 청동 말방울도 있다.

용·봉황
장식 큰 칼

가야인의 얼굴이
비치는 청동 말방울

퉁방울눈에 쩍 벌린 입이 익살스럽다.

우포늪으로 유명한 창녕에는 비사벌가야가 있다. '비사벌'이라는 이름처럼 빛이 가득 내리쬐는 벌판에 있다. 비사벌가야는 개성적인 '창녕 토기'의 나라이다. 굽다리 접시 하나를 만들더라도, 남들과 완전히 다르게 만든다. 굽다리 접시의 다리 부분을 없애고 그 대신 짤막한 다리를 떡하니 뚜껑 위에 거꾸로 붙였다. 도대체 이런 발랄한 개성은 어디서 온 걸까?

　　부산의 동래에는 거칠산국이 있다. 거칠산국은 '금동관과 말갖춤의 나라'이다. 금관가야와 이웃한 나라로, 쇠가 모이는 집산지이고 바다와 가깝다. 쇠를 수출하는 항구로 이름을 날리는 중이다. 거칠산이라는 이름이 지금의 부산에 있는 황령산(荒嶺山: 거칠 황, 고개 령, 뫼 산)에 남아 있다.

개성적인 창녕 토기

공룡 발자국으로 유명한 고성에는 소가야가 있다. 소가야는 '가야의 베네치아', 고대의 물길을 장악한 나라이다.

소가야 앞바다는 왜로 가는 배와 왜에서 오는 배로 붐빈다. 소가야에서 통영과 거제도를 지나면 얼마 가지 않아서 쓰시마섬, 그리고 왜의 북규슈가 멀지 않다.

소가야는 금관가야가 세력을 잃은 뒤, 남해를 손아귀에 넣고 쥐락펴락하며 주로 왜와의 중계 무역으로 크게 번성한다.

그런데 말이다. 아까부터 한 가지 의문이 머리를 든다.

이 작은 나라들의 생존 비법은 무엇이었을까? 좁은 분지에 갇혀 밖으로 팽창하지 못하는데도, 520여 년간 살아남을 수 있었던 까닭은?

무언가 짚이는 데가 있다.

'가야에 속한 작은 나라들'에서 물길을 샅샅이 찾아내어 '가상의 선'으로 이어 본다. 거대한 내륙 수로인 낙동강과 황강, 남강 그리고 리아스식 해안을 따라 점점이 흩어진 작은 반도와 섬 앞으로 흐르는 검푸른 남해로 바쁘게 오가는 배들이 보인다!

아하! 그렇구나! 작은 나라들의 생존법, 그 비밀은 바로 물길을 통한 '대외 교류'에 있다!

부산 동래의 거칠산국은 금관가야와 쌍두마차로 철을 이용한 중계 무역항으로 이름을 날리는 중이다.

합천의 다라국은 황강과 낙동강의 내륙 수로를 이용하여 활발하게 교역을 한다. 철을 직접 생산하여 내다 판다. 고대에 동서양을 잇는 교역로인 비단길(실크 로드)을 통해서 로만 글라스까지 수입한다. 로만 글라스란 로마 제국이나 서역에서 생산한 로마식 유리그릇을 말한다.

로만 글라스

비사벌가야는 낙동강 수로와 남해를 타고 왜와 교류한다. 왜로부터 온 녹나무로 만든 나무 관이 있다. 이 녹나무는 왜에서만 자란다. 원래는 왜에서 나무 배를 만든 목재인데, 비사벌가야에서 나무 관으로 재활용한 것이다.

소가야는 남해에 위치한 지리적 이점을 한껏 살려 활발한 대외 교류를 한다. 남강과 금강을 이용하여 백제와 교류하고 백제와 왜를 잇는 중계 무역에 열을 올린다. 서울에 있는 백제 왕성인 몽촌토성까지 가야의 토기와 왜의 토기인 스에키 토기가 전해진 건 소가야의 활동 덕분이다.

특히 소가야는 왜에 끼친 영향이 아주 크다. 소가야에는 우리나라 최초로 주칠(누런색이 조금 섞인 붉은색 칠)을 한 채색 무덤이 있다. 일본 후쿠오카현에서도 쓰칸도 고분에 주칠한 무덤이 나온다.

스에키 토기

청자 계수호

　남원의 하기문국에서는 닭 머리를 빚어 장식한 청자 물병이 나온다. 중국에서 건너온 물건이다.

　이렇게 가야에는 동아시아에서 온 외국산 물건이 넘쳐 난다! 고구려, 백제, 신라는 물론이고 중국, 왜에서 건너온 물건들이다.

　가야는 바깥세상에 대해 활짝 가슴을 연 '개방적인 태도'를 취한다. '가야에 속한 작은 나라들'은 여러 분야에 걸쳐 자신들만의 촘촘한 네트워크(연결망)를 갖고 있다. 백제와 친한 나라도 있고 왜와 특히 친한 나라도 있다.

　그런 네트워크를 활용해서 활발한 대외 교류를 함으로써, 분지에 갇힌 작은 나라라는 한계를 너끈히 극복한다.

각양각색 가야 토기

가야는 '토기의 나라'로 불릴 만큼 토기가 양적으로 풍부하다. 쓰임새에 따라 종류별로 긴목항아리, 짧은목항아리, 그릇 받침, 굽다리 접시 들이 있다. 그런데 가야 토기는 지역마다 시대마다 다르다. 이런 점에서 토기 양식은 어떤 정치 세력이 어디에 존재하고 세력의 범위는 어떤지를 구별하는 기준이 된다. 가야 토기는 크게 4세기 김해 금관가야 양식, 5세기 함안 아라가야 양식, 고성 소가야 양식, 고령 대가야 양식, 창녕 비화가야 양식으로 나뉜다.

아라가야
불꽃무늬 구멍이 특징적이다.

가야

소가야
굽다리에 삼각형이나 사각형 모양의 구멍이 나 있다.

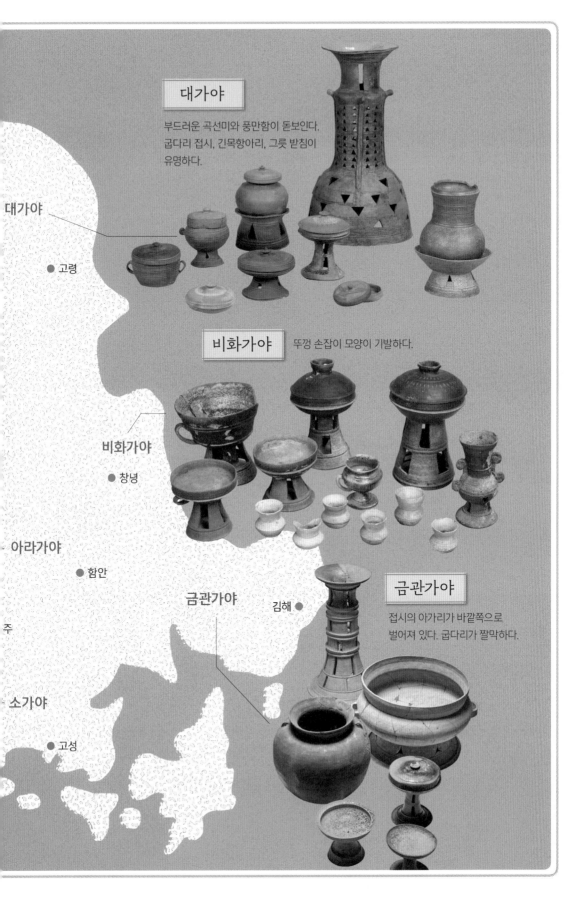

대가야

부드러운 곡선미와 풍만함이 돋보인다. 굽다리 접시, 긴목항아리, 그릇 받침이 유명하다.

대가야
● 고령

비화가야

뚜껑 손잡이 모양이 기발하다.

비화가야
● 창녕

아라가야
● 함안

금관가야   김해 ●

금관가야

접시의 아가리가 바깥쪽으로 벌어져 있다. 굽다리가 짤막하다.

주

소가야
● 고성

오로지 '가야'라는 이름으로

공중에서 가야의 여러 나라를 눈으로 훑었지만 정작 '가야'를 한 마디로 말하기는 어렵다.

가야는 한반도의 중남부에 있던 삼한(마한, 진한, 변한) 중에서 낙동 강 서쪽에 있던 변한의 옛 땅이다. 백제가 마한을, 신라가 진한을 이었는데 '가야'는 통일된 왕국을 이루지는 못했다.

아주 쉽게 말하자면, 작은 나라들이 모인 말랑말랑한 반죽 같다. 마치 아메바처럼 정해진 모양 없이, 이쪽으로 불쑥 저쪽으로 불쑥, 가지 돌기를 꾸물꾸물 움직이는 생명체 같은 존재라고 비유하면 적당할 것이다. 어떤 학자는 이런 가야의 모습을 '느슨한 가야 연합체'라고 부른다.

'맹주(연맹을 맺은 단체의 우두머리)'가 작은 나라들 사이에서 가야 연합체를 이끈다. '400년 광개토 대왕의 남정'을 기준으로 전기에는 금관가야가, 후기에는 대가야가 '가야 연합체'를 이끈다. 전기와 후기에 걸쳐 아라가야는 제2인자로서 군림한다.

'가야에 속한 작은 나라들'은 이해관계에 따라 서로 뭉치기도 하고 뿔뿔이 흩어지기도 한다. 작은 나라들끼리 창을 겨누며 전쟁을 벌일 때도 있다.

한번은 바닷가에 접한 여덟 개의 작은 나라가 똘똘 뭉쳐 맹주인 금관가야와 전쟁을 벌인 적이 있다. 가야의 역사에서 '포상팔국의 전쟁'이라고 한다. 금관가야가 국제 교역을 독점한 데 불만을 품고 전쟁을 일으킨 것이다.

평소에는 사람과 물자가 활발하게 오가는 사이다. 작은 나라 사람들끼리 혼인을 하기도 한다. 우리가 오전에 들른 갯마을 촌장 댁 따님도 아라가야의 명문가 아드님과 부모들끼리 혼인 이야기가 무르익어 가고 있다.

그런가 하면, 백제와 국제회의를 할 때는 작은 나라들이 '가야'라는 깃발 아래 공동으로 외교 사신을 파견한다.

더욱더 흥미로운 사실은, 이런 때에도 한 명의 공동 외교 사신을 보내는 것이 아니라, 7~8개 작은 나라의 대표들이 함께 국제회의장에 나간다는 점이다. 이러니 '느슨한' 가야 연합체라고 불리는 것이다. 요즘에는 가야 연합체라는 말이 주는 느낌 때문인지 그냥 '가야 제국(諸國, 여러 나라)'이라고 한다. 우리는 '가야에 속한 작은 나라들'이라고 부르고 있다.

가야의 역사는 2천여 년 전(서기 42년) 김해의 바닷가에서 시작되어 1,500년 전(562년)에 고령의 내륙에서 끝난다. 가야는 강력한 왕권을 중심으로 한 고대 국가로 발돋움하다가 520여 년 만에 역사 속에서 사라졌다.

'가야(加耶)'라는 이름은 김해에서 일어난 구야국에서 나온 이름이다. 당시에는 가야, 가라, 임나라고 불렸다. 다른 작은 나라들은 안라국(함안), 가라국(고령), 고자국(고성)으로 불렸다.

가야가 멸망한 뒤 신라와 고려가 부른 이름은 금관가야(김해), 아라가야(함안), 대가야(고령), 소가야(고성)이다.

가야는 잊힌 나라일 뿐이고, 우리 시대 보통 사람들은 작은 나라들의 이름을 일일이 기억하기도 힘들다. 그저 여러 가야의 이름을 부르는 것이 복잡해서 '~가야'라고 뭉뚱그려서 부른다. '가야에 속한 작은 나라들'은 언제쯤이면 자신들의 이름을 온전히 되찾게 될까?

〰〰〰
가야를 부르는 또 하나의 이름 임나, 임나일본부설

임나일본부설은 일본이 4세기 후반에 임나(가야)에 '일본부'를 두어 한반도 남부 지역을 지배했다는 학설이다. 일본이 그 근거로 드는 고구려 광개토 대왕릉비의 비문은 일부가 지워진 상태이고, 광개토 대왕이 신라를 침범한 백제와 왜를 궤멸시킨 점, 당시에는 일본이라는 나라 이름이 사용되지 않았던 점 등을 감안해서 현재 임나일본부설은 배척받고 있다.

가야의 국보 보물 열전

가야의 장인들은 불과 나무와 흙, 바람을 이용하여 철을 자유자재로 다루었다. 솜씨 좋은 장인의 손길이 전쟁을 대비할 때는 판갑옷과 투구, 말갖춤, 칼과 창, 방패 같은 전쟁 무기를 만들어 냈다. 무시무시한 전쟁 무기에서도 가야 장인의 정교함이 빛난다. 가야 장인의 빼어난 솜씨가 일상을 향할 때는 다양한 토기가 빚어지고 금속 공예품이 주조되었다. 정녕 가야의 아름다움은 개성과 다양성, 소박미와 세련미가 자연스럽게 공존하는 데 있다.

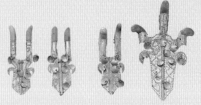

전 고령 금관 및 장신구 일괄
고령 지산동 무덤에서 출토되었다고 전하는 이 금관은 얇은 금판으로 풀 모양 장식을 달았다. 국보 제138호.

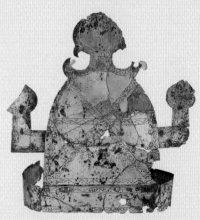

고령 지산동 32호분 출토 금동관
띠 모양의 금동관 테두리에 광배 모양의 금동판을 붙이고 꼭대기에 큰 꽃봉오리, 좌우 양쪽에 작은 꽃봉오리를 붙였다. 앞면에 X 자 모양으로 무늬 띠를 교차시켜 장식미를 더했다. 보물 제2018호.

부산 복천동 출토 금동관
얇은 금판으로 장식을 만들고 금 못으로 붙였다. 지산동 금동관과는 달리 신라 관을 닮았다. 보물 제1922호.

부산 복천동 22호분
출토 청동 칠두령

7개 가지가 달린 청동 방울이
다. 4~5세기 가야의 지배자가
사용한 도구이다. 본체 자루
부분에 나무 손잡이를 끼워
사용했을 것으로 추정한다.
보물 제2019호.

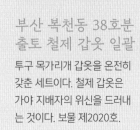

부산 복천동 38호분
출토 철제 갑옷 일괄

투구 목가리개 갑옷을 온전히
갖춘 세트이다. 철제 갑옷은
가야 지배자의 위신을 드러내
는 것이다. 보물 제2020호.

도기 기마 인물형 뿔잔

한 손엔 방패를, 다른 손엔 긴 창을
든 위풍당당한 기마 무사가 굽다리
위에 얹혀 있는 뿔잔이다.
국보 제275호.

8장

아라가야에서
스타일을 만나다

가야 촌장들이 만나다

해의 방향을 쫓아 쉴 새 없이 서쪽으로 말을 몬다.

한참을 달려 나루터에 도착해서야 말에게 물을 먹인다. 거친 숨을 몰아쉬던 말이 기갈난 듯 강물을 꿀꺽꿀꺽 마신다. 이 강을 건너면 아라가야에 거의 다 온 것이다. 기운 차린 말을 달래서 내처 아라가야의 왕궁을 향해 달린다.

아라가야에 들어서자, 야트막한 말이산이 아스라이 보인다.

남북으로 1.9킬로미터나 길게 뻗은 말이산 꼭대기에 아라가야의 왕과 귀족들의 무덤이 바다에 이는 물결처럼 끝없이 펼쳐진다.

말이산은 '마리산', 곧 우두머리 산이라는 뜻. 왕의 무덤이 있는 곳에 어울리는 이름이다.

경비병들의 눈을 피해 말을 숨겨 두고, 말이산 정상으로 향한다. 해발 40~70미터쯤 되는 낮은 언덕이라 거뜬하게 오른다.

우리는 가야의 제2인자 아라가야에 와 있다. 가야의 전후기에 걸쳐 맹주의 지위를 위협한 강국이자 '가야에 속한 작은 나라들'이 '형님'으로 모신 대국이다.

말이산 정상에서 아라가야를 휘휘 둘러본다.

아라가야는 남쪽이 높고 북쪽은 낮은 지형이다. 남쪽에는 높은 산들이 몰려 있고 북쪽에서는 남강과 낙동강이 만난다. 우리가 건넌 광려천은 낙동강으로 흘러든다.

말이산 정상에선 아라가야 왕궁이 코앞이다. 흙을 다져 쌓아 올린 성벽이 왕궁을 에두르고 있다. 성벽 윗부분에 목책을 설치해 성벽을 기어오르는 외적의 침입을 막았다.

왕궁의 대문 앞으로 내가 흐른다. 왕궁 오른쪽으로 신하들이 모여 사는 동네가 있다. 왕궁 뒤로는 대장장이 마을인 불뫼골이 있고, 그 뒤로 있는 토기 공방이며 숯 공방에서 연기가 모락모락 난다.

아라가야의 외곽을 지키는 봉산산성의 곳곳에 망루가 세워져 있다. 망루 위로 창 든 군사들이 보초를 서고 있다. 서북쪽으로 세 개의 봉우리로 이루어진 삼봉산이 우뚝하다.

아라가야는 가야의 한가운데에 위치한다. 아라가야가 있는 함안은 지금도 경상남도의 중앙에 있다. 아라가야는 동서남북 어디로든 갈 수 있는 사통팔달한 교통의 중심지이다. 육로는 말할 것도 없고 남강과 낙동강 주변으로 배가 드나드는 포구가 셀 수 없이 많다.

거기에다 아라가야에 날개를 달아 준 사건이 있다. 아라가야가 4세기 초 포상팔국의 전쟁에서 칠원의 칠포국을 차지하면서 남해로 가는 진동만을 얻게 된 것이다. 아라가야는 남강과 낙동강을 통한 간접 교역로뿐만 아니라 진동만을 통해 남해로의 직접 진출이 가능해졌다.

'앗, 저분은?'

소스라치게 놀란다. 그도 그럴 것이, 개미같이 작아 보이는 사람들 사이로 갯마을 촌장님이 걸어가고 있는 게 아닌가?

촌장님은 기둥이 늘어선 대형 건물로 들어가는 중이다.

'아니, 금관가야의 갯마을 촌장님이 아라가야에는 무슨 일로 온 걸까?'

궁금증을 참지 못하고, 재빨리 말이산에서 뛰어 내려온다.

일렬로 늘어선 여섯 개의 기둥이 맞배지붕의 건물을 받치고 있다. 수십 개의 작은 기둥들이 건물 바깥을 타원형으로 감싸고 있다. 길이 40미터, 너비 16미터나 되는 대형 건물이다.

대형 건물에는 누마루(다락처럼 높게 만든 마루)가 설치되어 있다. 누마루는 계단으로 올라가게 되어 있고 누마루 밑에는 너른 뜰이 있다. 건물 안을 기웃거리니, 누마루 위는 텅 비어 있다.

뜰 아래에서 갯마을 촌장님을 비롯한 가야 각지에서 온 촌장님들이 막 회의를 시작한다.

촌장님들의 표정이 한결같이 어둡다.

회의 안건은 시시각각 다가오는 고구려 광개토 대왕의 공격에 어떻게 대처하느냐이다. 보통 때 같았으면 가야 내부의 교역 갈등이며 왜나 중국과의 장거리 교역 문제를 조정하는 안건이 나왔을 텐데 오늘은 그런 경제 문제는 쏙 들어간다.

함안 말이산 고분군

백제나 왜와 연합군을 조직해서 고구려와 신라 연합군에 맞서자는 의견이 대다수이다. 그 밖에 별 뾰족한 수가 없는 게 현실이다.

오늘 회의는 '가야에 속한 작은 나라들'을 대표하는 대인급들이 참석하는 고당 회의는 아니다. 대인급들은 누마루에 올라 회의를 한다. 그저 각 마을을 다스리는 촌장들이 뜰에 모여 백성들의 목소리를 대변하는 회의다.

'가야에 속한 작은 나라들'의 형님 격이고 지리적으로도 가운데에 있는 아라가야에서 나라 간 회의가 자주 열린다. 서기 529년에는 가야의 여러 나라와 백제, 신라, 왜의 사신들이 누마루에 모여 국제회의를 열기도 했단다.

우리는 다가올 전쟁에 대한 두려움과 불안감에 웅성거리는 회의장을 떠난다.

'그들의 삶은 그들에게'라는 말을 되뇌며……

가야 백성들이 만나다

남강과 낙동강이 만나는 큰 나루터에서 말을 멈춘다. 오후의 강한 햇살을 받은 강물이 생선 비늘처럼 팔딱거린다. 나루터에 닿은 거룻배들이 연신 사람을 한꺼번에 토해 낸다.

응애응애 우는 젖먹이를 업은 아낙, 고집 센 당나귀를 끌고 가는 시골 할배, 머리에 위태위태하게 짐을 인 할매, 부리부리한 눈매에 체격이 다부진 젊은이가 거룻배에서 앞을 다투어 내린다.

짐배마다 토기, 쌀, 농기구, 소금, 젓갈을 가득가득 실어 나른다.

잠시 나루터에서 사람 구경을 한다. 우리 시대로 치면 경남 사람, 경북 사람, 전라도 사람, 충청도 사람이 다 모인다!

이곳은 '가야판' 화개 장터이다.

우리 시대 화개 장터가 섬진강을 사이에 두고 전라도와 경상도를 잇는 다리 역할을 한다면, '가야판' 화개 장터는 '가야에 속한 작은 나라들'로부터 백제와 신라까지, 사람들이 모이고, 물건이 모이고, 덩이쇠가 돌고 돌며, 거래가 이루어지는 곳이다.

아무래도 아라가야가 가야의 가운데에 위치한 데다가, 나루터가 많아 뱃길로 오가기 편하다는 이점 때문에 사람들이 몰리는 듯하다.

물론 장터라고 해서 우리 시대 시골 장터처럼 임시로 지은 가건물이 있는 건 아니다. 그저 정해진 날에 사람이 많이 몰리는 나루터에서 거래가 이루어질 뿐이다.

어느새 왁자지껄한 장터 구경에 정신이 팔린다.

'아무렴, 여행의 즐거움은 쇼핑이지!'

비록 물건을 살 수 없어도 시장 구경만으로도 신난다.

여기선 길가 바닥에 여러 가지 물건을 벌여 놓고 물건을 사고판다. 우리 시대 오일장이나 지하철 역에서 물건을 바닥에 놓고 파는 '난전'과 비슷하다고 할까.

쌀과 곡식을 파는 싸전, 바닷물을 가마솥에 끓여 만든 자염을 파는 소금전, 해산물을 소금에 절인 젓갈을 파는 젓갈전 그리고 생활용 그릇이나 제사용 그릇을 파는 토기전, 옥구슬 목걸이나 귀고리를 파는 장신구전, 호미, 낫, 쟁기 같은 농기구를 파는 철기전……

온갖 물건이 사고팔린다. 장터 곳곳에서 흥정이 붙는다. 가격을 놓고 으레 실랑이가 벌어진다. 더 깎아 달라, 안 된다, 남는 게 없다, 돌아서는 이, 붙잡는 이의 모습이 여느 시장의 모습과 비슷하다.

장터를 휘젓고 다니다가 토기전 앞에서 멈춘다. 손잡이가 달린 앙증맞은 잔들이며 두 귀 달린 항아리가 눈길을 끈다.

아라가야
무늬 있는
그릇 뚜껑

'저 무늬 좀 봐!'

항아리 뚜껑마다 지그재
그 무늬나 짧은 선 무늬, 빗
금무늬를 새겨 놓았다.

분명 아라가야의 토기에는 남
다른 멋이 있다. 그런 멋이 어디서
나오는지 무지 궁금하다. 우리는 토기전 주인에게 꼬치꼬치 캐물어
소중한 정보를 얻어 낸다.

토기전 옆은 장신구전이다. 목걸이, 귀고리, 팔찌, 허리띠 장식이 바
닥에 널려 있다.

어머나, 이건 특이한 귀고리다. 흙으로 구워 만든 귀고리! 짧은 원
통형인데 귓불에 큰 구멍을 뚫어 꽂는 것이다.

이건 또 뭐야? 아라가야가 옥구슬로 유명하다더니! 소문처럼 영

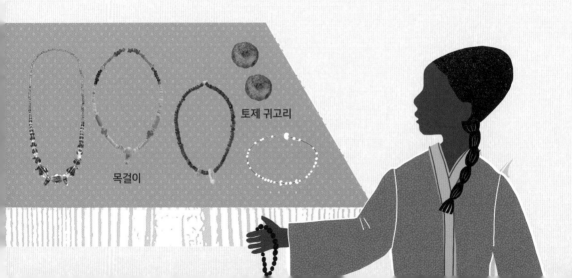

토제 귀고리

목걸이

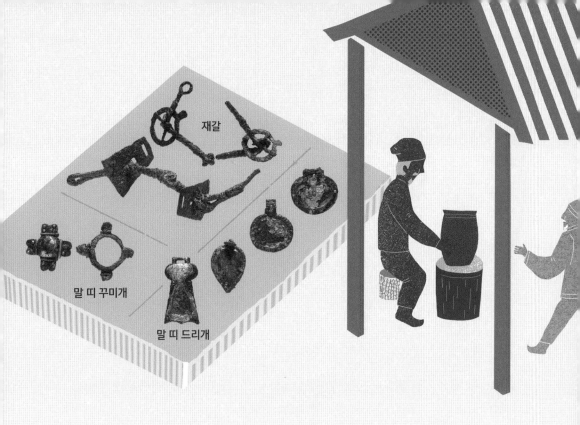

재갈

말 띠 꾸미개

말 띠 드리개

롱한 광채를 내는 옥구슬 목걸이들이 모여 있다.

　'아니, 저 사람은? 촌장 댁 여종이잖아.'

　이곳에서 부인의 심부름을 온 촌장 댁 여종을 보니 어찌나 반갑던
지. 여종은 쪼그리고 앉아서 신중하게 옥구슬 목걸이를 고르는 중이
다. 그 뒤로는 남종이 하릴없이 먼 산을 바라보며 어정쩡하게 서 있
다. 드디어 여종이 목걸이를 고르자 남종이 촌장 부인에게서 받아 온

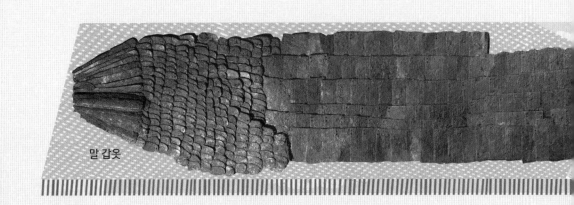

말 갑옷

덩이쇠로 값을 치른다. 이곳에서도 덩이쇠가 화폐로 쓰인다.

　나루터 외진 곳을 돌다가 눈이 번쩍 뜨이는 곳을 발견했다.

　어머나, 가야에도 벼룩시장이 있네! 낡거나 고장난 중고품을 수리해 주기도 하고 사고파는 곳이다.

　한쪽에서는 갈라진 토기를 땜질 중이다. 토기는 말릴 때 갈라지기도 하고 사용하다가 깨지기도 한다. 수선공이 익숙한 솜씨로 금 간 데를 때우고 깨진 데를 잇는다. 보수를 해 놓으니 멀쩡한 토기다.

　다른 쪽에서는 작은 망치로 말갖춤을 수선 중이다. 수선공 주위에 전투할 때 말에게 입히는 철제 갑옷이며 발을 올려놓는 등자, 말방울 같은 물건이 널려 있다.

　쇠로 만든 말 갑옷은 비싼 제품이라 수선 의뢰가 많다. 아라가야 수선공의 솜씨가 좋아서인지 이웃 나라들에서 수선을 부탁하는 일도 흔히 있다고 한다.

가야의 귀금속

가야의 아름다움을 잘 보여 주는 공예품으로 귀고리, 목걸이, 팔찌 등을
들 수 있다. 현재까지 전해지는 가야의 금은 세공품들은 같은 모양을 찾
아볼 수 없을 정도로 구성과 형태가 다양하다.

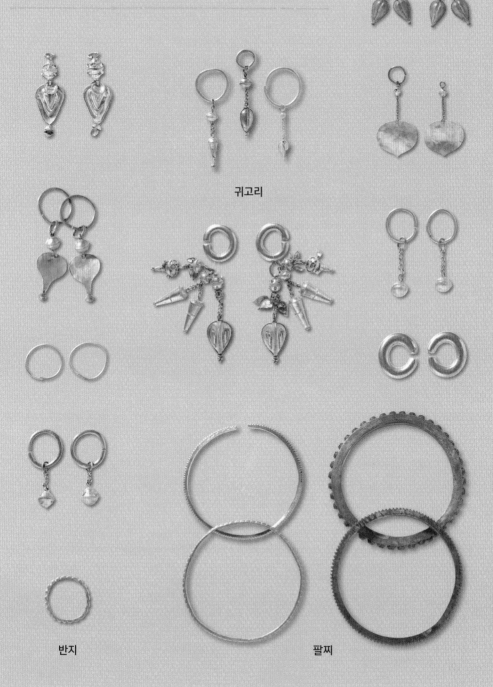

귀고리

반지   팔찌

소년, 소녀를 만나다

얼마간 말을 달려 도착한 곳은 토기전에서 소개받은 전문 토기 공방이다. 멀리서 보아도 토기 공방인 줄 금세 알아차렸다. 산기슭의 끝자락에 10미터가 넘는 대형 오름 가마가 수직으로 설치되어 있으니.

아까 장터 토기전에서 아라가야 토기를 직접 보니 오히려 궁금증이 늘어만 갔다. 그리하여 예정에 없는 아라가야 토기 공방을 방문하기로 즉석에서 결정했다. 아무렴, '여행의 맛'은 그때그때 즉흥적으로 계획을 바꾸는 데 있지!

우리가 방문한 전문 토기 공방은 토기 장인들이 모여 사는 전문가 마을 안에 있다. 나라에서 관리하는 토기 공방으로, 왕이나 귀족들이 사용하는 최고급 토기를 '대량으로' 만든다. 얼마나 대량이냐면 아라가야 사람들이 사용하고도 남을 정도란다.

여기선 토기의 생산 못지않게 유통 또한 철저하게 관리된다. 전문 장인들이 토기를 대량 생산하면 나라에서 각 지역으로 보낸다. '메이드 인 아라가야'산 토기들은 아라가야가 세력을 키우는 데 효자 노릇을 톡톡히 해 왔다. 가야의 여러 나라에 보내고 가야 밖으로는 공주, 남원, 여수, 순천, 해남에 이르는 먼 지역까지 수출되는 인기 품목이다.

토기 공방이야 아침에 봤으니 건너뛰고, 엄선한 아라가야 토기가 진열된 방을 구경하기로 한다.

불꽃무늬
굽다리 접시

화로 모양 그릇 받침

사슴 모양 뿔잔

우아, 이 방에는 생활 토기 그릇을 파는 장터에서는 보지 못한 최고의 예술품들이 진열되어 있다. 마치 박물관이나 미술관의 전시실을 둘러보는 것 같은 착각마저 든다.

앗, 이 불꽃무늬 구멍은 뭐지? 우리는 굽다리 접시 앞에 멈춰 선다. 아가리가 나팔 모양으로 벌어진 토기에 높다란 굽다리가 달려 있다. 그런데 굽다리에 불꽃무늬로 난 구멍이 뚫려 있다. 입구에 있는 장인에게 여쭈어 보니 친절하게 가르쳐 준다. 이 구멍을 '투창'이라고 부른단다. 이 굽다리 접시는 높은 온도에서 구워 낸 회청색 '도질 도기'란다. 두께가 어찌나 얇고 단단한지, 장인이 손가락으로 톡톡 두드리니 쩡쩡 맑은 소리가 울려 퍼진다.

이렇게 단단한 토기는 워낙 높은 온도에서 굽기 때문에 가마 안에서 터지기 일쑤이다. 그래서 굽다리에 구멍을 뚫어 토기가 터지는 것을 예방한 것이다. 이런 실용적인 용도라도 아라가야의 장인은 그저 구멍만 뚫지 않는다. 불꽃무늬로 세련되게 장식한다.

우리 시대에는 이런 투창 뚫은 토기를 아라가야를 상징하는 '불꽃무늬 토기'라고 부른다.

이 방에는 온갖 모양을 본뜬 상형 토기도 많다.

아까 본 등잔 모양, 수레바퀴 모양, 말 모양, 오리 모양, 새 머리 모양, 집 모양, 배 모양……. 마치 살아 숨 쉬는 말이나 오리, 새, 수레바퀴와 배와 집을 눈앞에 둔 것 같다.

아아, 이 사슴 모양 뿔잔은 진정 아라가야 장인이 빚은 걸작이다!

살짝 뒤돌아보는 사슴의 가냘픈 목과 또렷한 눈매, 약간 위로 쳐든 풍성한 엉덩이가 고혹적이다. 뿔이 없으니 암컷이다. 유(U) 자형의 잔대는 잘록한 허리에 붙였다.

사슴 모양 뿔잔만 보아도 아라가야 장인의 멋과 개성, 솜씨를 한

눈에 알 수 있다.

아라가야 장인들이 세련된 안목과 솜씨로 빚어낸 아라가야 '스타일'이다!

아라가야 토기는 유독 맵시가 뛰어나다는 느낌이 든다. 곰곰이 따져 보니 뿔잔을 이루는 각 부분이 황금비를 이루어서 그런 것 같다.

오전에 금관가야의 토기 공방에서 아라가야 장인들이 토기에 자신들의 이름 대신 새긴 부호를 봤던 게 떠오른다. 진정 장인 의식이 투철한 이들이다.

한껏 감격에 젖어 공방을 빠져나오다가, "하하!" 웃음을 터뜨리고 말았다.

'아니, 저게 누구야? 금관가야 촌장 댁 도련님 아냐?'

지금쯤 촌장 댁에서는 막내아드님이 사라졌다고 집안이 발칵 뒤집혔을 거다. 부모님 속은 빠작빠작 타들어 갈 텐데, 집 나온 사춘기 아드님은 천하태평이다.

그 정도가 아니라 아드님은 딴 데 정신이 팔려 있다. 그토록 흠모하던 아라가야의 달항아리를 앞에 두고도 말이다.

아드님의 두 볼이 발그레하다. 옆에서 물레를 돌리는 어여쁜 소녀를 연신 훔쳐본다.

한 발 다가가서 두 사람의 알콩달콩한 대화를 엿듣는다. 우리 시대 사투리로 옮기면 대충 이렇다.

"니는 오데서 왔나?"

소년이 억센 경남 사투리로 묻는다. 언뜻 싸움 거는 것처럼 들린다.

"남원에서 왔당게. 거는 와 반말인디?"

소녀가 투박한 전라도 사투리로 응답한다.

소년은 처음 들어 보는 낯선 사투리에 움칠한다. 어여쁜 소녀의 모

습에 왠지 귀꿈맞게 들린다. 소년은 소녀의 당찬 모습에 얼른 존댓
말로 바꾼다.

"토기는 와 배울라꼬 하능교?"

"나가 우리 스승님맹크로 유명한 도공이 될랑게."

"가시나가 무슨 도공이고?"

"음마, 이 머스마가 참 거시기허다잉."

"문딩이 가시나."

"그리여, 안 그리여?"

억센 사투리끼리 부딪쳐 티격태격 다투는 것 같지만 서로 탐색전
을 벌이는 중이다. 소녀도 싫지 않은 듯 뺨이 붉게 물든다.

영남에서 온 소년과 호남에서 온 소녀가 아라가야에서 만난다.

두 소년 소녀의 첫사랑을 응원하며 아라가야를 떠날 채비를 서두
른다.

우리의 마지막 여정, 대가야로 갈 차례다.

9장

대가야로 가는
길목에서

알터 바위그림 앞에서

강을 따라 북쪽으로, 북쪽으로 말을 달린다.

해가 뉘엿뉘엿한다. 우리에게 허락된 시간이 얼마 남지 않았다. "이랴!" 말의 옆구리를 세게 지른다.

나란히 달리는 강이 자주 바뀐다.

아라가야 도요지에서 출발해서 남강을 따라가다가, 낙동강 본류로 바꾸어 달리다가, 황강과 만나는 지점에서 회천 줄기를 따라 북쪽을 향해 올라가는 중이다.

회천가에서 말에게 물과 모이를 먹인다. 수고한 말의 갈기를 쓰다듬어 준다.

잠시 허리를 펴고 숨을 돌린다.

앞으로 너른 들판이 있고 집들이 옹기종기 모여 있다. 잡초가 우거진 둑을 어슬렁어슬렁 걷다가 어른 키를 훌쩍 넘는 커다란 바위를 보았다. 바위 밑부분은 찰랑찰랑 물에 잠겼다.

어라, 바위에 그림이 새겨져 있다.

순간 울산 반구대 바위그림이 떠오른다. 신석기 시대나 청동기 시대 사람들이 사냥이 잘되기를 바라며 바위에 새긴 그림. 가까이 가 보니 커다란 바위에는 서너 겹의 동심원과 그 주위에 털이 달린 가면 같은 것이 여러 개 새겨져 있다.

어휴, 아무리 뚫어지게 쳐다봐도 청동기인이 새긴 암호를 풀 길이 없다. 이럴 땐 좋은 수가 있지! 여행을 하다가 모르는 게 있을 땐 그곳에 사는 현지인에게 물어보는 게 지름길이다.

들판을 가로질러 마을로 성큼성큼 간다. 예나 지금이나 마을 입구에는 마을의 내력을 줄줄 외는 노인분들이 있기 마련이다.

아니나 다를까, 마을 앞 당산나무에서 한가로이 쉬
는 노인을 만난다. 먼저 공손하게 절을 하고 이 마을 이
름과 바위그림에 대해 여쭙는다.

"우리 마을은 알터 마을이라우."

노인의 온몸에서 자부심이 뿜어 나온다.

'엥, 알터?'

거참, 마을 이름이 요상하다. 이런 속마음을 들켰는지 노인이 설명
을 덧붙인다.

"우리 시조님이 알에서 깨어난 곳이지."

노인의 입에서 뜻밖의 말이 나온다.

우아, 이 마을이 대가야의 시조가 탄생한 곳이란다. 이어서 노인이 대가야의 건국 신화를 술술 풀어 놓는다. 오호, 우리나라 건국 신화를 다 아는 줄만 알았는데, 이 신화는 난생처음 듣는다. 귀를 쫑긋하고 듣는다.

가야의 산신 정견모주가 천신 이비가의 빛을 받아, 대가야 왕 뇌질주일과 금관국 왕 뇌질청예, 두 사람을 낳았다.

가야산 여신 정견모주가 천신 이비가와 만나 알을 낳았다. 그 알이 알터 바위 앞에서 깨져 대가야 시조인 뇌질주일이 세상에 나온 것이란다.

수로왕 탄생 신화에 숨은 역사적 사실처럼, 가야 산신인 정견모주는 청동기를 지닌 토착민이고, 천신 이비가는 선진 철기를 가져온 이주민이리라.

"시조 뇌질주일이 곧 우리 대가야를 세운 이진아시왕이시지."

노인이 바위그림에 새겨진 동심원의 한가운데를 가리킨다.

대가야 시조 뇌질'주일'은 붉은 해라는 뜻이다.

바위에 서너 겹의 동심원으로 새겨진 것이 '태양'이다. 정확히 말하면 동심원의 한가운데가 태양이고 나머지 원은 햇무리를 새긴 것이다.

노인이 자랑스럽게 한마디를 덧붙인다.

고령 장기리 암각화

높이 3미터, 너비 6미터 되는 바위에 새겨진 그림이다. 청동기 시대 사람들이 자신의 기원을 신성한 바위에 새긴 것이다.

"가락국 시조 뇌질청예는 우리 시조님의 아우 격이지."

뇌질'청예'라는 이름 자체가 새파란 후예라는 뜻이다.

노인은 금관가야의 시조인 수로왕이 대가야의 시조보다 한참 후손이라는 엉뚱한 주장을 편다.

노인은 이런저런 이야기를 늘어놓으며 마음 바쁜 여행객을 붙잡는다. 이쯤에서 친절한 노인에게 작별 인사를 드리고 마을을 빠져나온다.

유감스럽게도, 역사적 사실은 노인의 주장과 정반대다. 금관가야가 먼저 가야의 맹주가 되고 대가야가 나중이다. 형제의 순서를 거꾸로 놓은 것은, 나중에 가야의 맹주가 된 대가야의 당당함과 자신감에서 비롯한 것이리라.

대가야 들판에서 살포를 든 우두머리를 만나다

회천으로 돌아왔다. 첨벙첨벙 물에서 걷는 소리가 난다. 노을 진 금빛 강가에서 젊은 어부가 그물을 힘껏 던진다. 어부가 원뿔 모양의 투망을 물에 던지니 좍 퍼지면서 강바닥에 가라앉는다. 그물망 안으로 물고기가 들어오면 그물망을 당겨 올릴 거다.

저 그물 밑부분에 그물추가 묵직하게 달려 있다. 그물이 강물 속으로 가라앉게 대롱 모양으로 생긴 그물추를 매단 것이다.

어부가 던진 그물망에 무엇이 걸려 들까?

행여 알이라도 건지는 건 아니겠지?

알터 마을 노인이 말해 준 대가야의 신화대로라면, 저 회천을 따라 정견모주가 낳은 또 다른 알이 둥둥 떠다니다가, 낙동강을 타고

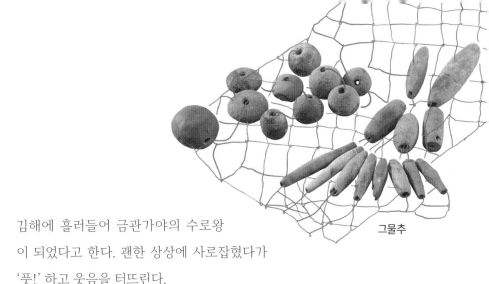

그물추

김해에 흘러들어 금관가야의 수로왕
이 되었다고 한다. 괜한 상상에 사로잡혔다가
'풋!' 하고 웃음을 터뜨린다.

젊은 어부가 씨알 굵은 누치라도 잡았는지 그물을 이내 거둔다.
누치는 낙동강에서 많이 산다.

우리도 자리를 툭툭 털고 일어선다.

지금의 경상북도 고령에 있는 대가야는 강과 내가 발달한 지역이
다. 가야산에서 흘러내려 가야의 이름을 나란히 나눠 가진 가천과
야천이 대가야의 회천에서 만난다. 회천, 곧 '모듬내'는 대가야의 젖
줄이다.

회천은 다시 낙동강 본줄기로 흘러들어 간다. 고령에 있는 작은 나
라 반로국은 회천과 낙동강을 통해서 금관가야의 선진 문물을 받아

생선 뼈 담은
굽다리 접시

133

들이면서 대가야로 성장해 나갔다.

풍부한 강과 내가 일군 논밭은 기름지다.

가야산 계곡에서 사계절 마른 날 없이 흘러내린 물로 산 밑에 있는 좁은 들을 적시기에 충분하다. 농사를 짓는 데 물이 부족한 적이 없다.

고령은 "씨 한 말을 뿌리면 120~130말, 최소한 80말을 뽑아내는" 기름진 땅이다. 이런 높은 농업 생산력이 대가야 성장의 바탕이 되었다.

가을걷이 철이면 봄과 여름 내내 땀 흘린 농부에게 넉넉한 양의 곡식을 안겨 준다. 농부는 쌀, 보리, 기장 따위 곡식을 장터에 '팔고', 생선, 조개, 소금을 사 온다.

먹을거리가 풍성하니 인구가 많고 마을 호수가 많다.

아, 해 저무는 들녘에, 살포를 땅에 짚은 우두머리가 위풍당당하게 서 있다. 역광이라서 실루엣으로만 보인다. 검은 실루엣이어서 그런지 살포도 우두머리도 실제보다 거대하게 보인다.

살포는 논의 물꼬를 틀 때 사용하는 철제 농기구이다. 모가 진 작은 삽에 긴 자루를 박아 지팡이처럼 짚고 다닌다.

가을걷이를 앞둔 황금빛 들녘에서 우두머리가 웬일로 살포를 들었을까? 논에 물 댈 일도 없는데? 어젯밤 별자리가 뒤숭숭했을까? 태풍이 닥쳐 한 해 농사를 망치지 않도록 기원하는 것일까? 메뚜기 떼가 기승을 부리지 않도

살포의 진화
우두머리의 권위를 상징하던 살포는 조선 시대 왕이 신하에게 내리던 궤장으로 발전하였다.

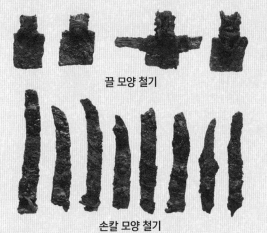

끌 모양 철기

손칼 모양 철기

대가야에서만 발견되는 소형 모형 철제 농기구
대가야의 농경의례나 우두머리급의 무덤에서 제사
용 의기로 사용되었다.

여러 가지 모양의 쇠살포

록 제사를 지내는 것일까?

살포는 단순한 농기구가 아니다. 논농사에는 물을 잘 대는 일이 중요하다. 누구 논에 먼저 물꼬를 트느냐가 한 해 농사를 좌우한다.

그래서 살포는 마을에서 농사일을 지휘 감독하는 우두머리의 권위와 위엄을 드러내는 도구이다. 살포를 든 우두머리는 농사에 관련된 모든 제사를 주관한다.

우물쭈물하는 사이, 살포를 든 우두머리가 사라지고 없다. 그가 무엇을 하려고 했는지 물을 길이 없다.

부랴부랴 말 위에 올라 갈 길을 재촉한다.

어정(왕을 위한 우물)

대가야는 회천 동쪽의 벌판에서 시작해 서쪽의 고령 읍내로 이동하면서 성장했다. 우리는 대가야가 성장한 발자취를 따라 서쪽으로 말을 달린다.

왕을 위한 우물가에서

회천을 건너자 산으로 둘러싸인 아늑한 분지에 들어선다. 지금의 고령 읍내이다.

급작스레 참을 수 없이 목이 탄다. 말에게는 강물을 마시게 해 놓고 정작 우리는 물 한 모금 마시지 않고 먼 길을 달려왔다. 나무에 말을 매어 놓고 우물을 찾아 나선다.

저기 있다!

얼마 가지 않아서 돌로 세 벽을 단단히 두른 우물을 발견한다. 주위에는 우물물을 담는 병인지 긴목항아리 토기, 짧은목항아리 토기들이 가지런히 세워져 있다.

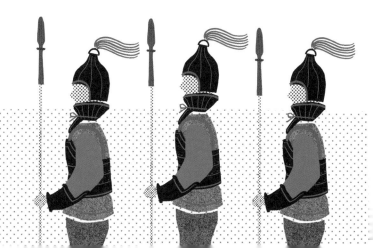

주위를 살피며 살금살금 다가가는데, 갑자기 고함 소리가 들린다.

"거기, 웬 놈이냐?"

'어이쿠, 이게 무슨 일이람!'

'벼락은 일단 피하고 보자.' 하는 심정으로 재빨리 나무 뒤로 몸을 숨긴다.

누군가 후다닥 줄행랑을 치고, 그 뒤를 병사가 바짝 쫓는다. 날랜 병사한테 도망자는 금세 잡히고 만다.

눈치껏 상황을 살피니, 우물을 지키는 병사가 잠시 자리를 비운 사이 한 백성이 몰래 우물물을 길어 가려다가 들킨 것이다. 그 백성은 두 손이 발이 되도록 싹싹 빈다. 간신히 매를 피하곤 그림자처럼 사라져 버린다.

'겨우 우물물 갖고 웬 유난이지?'

뭐가 뭔지 얼떨떨하다.

어디선가 사부작사부작 발소리가 들린다.

얼굴에 귀티가 철철 흐르는 여인이 남종들을 거느리고 우물물을 길으러 온다. 방금까지 서슬이 시퍼렇던 병사가 납작 엎드려 시중을 든다.

서로 나누는 말을 엿들으니, 간간이 '왕궁', '제사'란 말이 섞여 있다. 대충 추측하건대, 저 여인은 대가야 왕궁에서 온 시녀이고, 다가오는 나라의 제사에 쓸 물을 긷는 중이란다.

'아, 저 물이 한갓 우물에 지나지 않는 게 아니구나!' 하고 깨닫는다.

'어정(왕을 위한 우물)'이다.

왕이 평소에 마시고 나라 제사에 쓰는 신성한 우물물, '성수'를 길어 올리는 우물이다. 조선 왕에게 제사를 지내는 종묘에 어정이 있듯이, 대가야에도 강력한 권력을 쥔 왕이 있고 왕을 위한 전용 우물이 생겨났나 보다.

자꾸만 고개를 갸우뚱한다.

아까부터 무언가 이상하다. 김해 금관가야에도 왕을 위한 우물이 없었는데? 왕궁이니 시녀니 모두 낯설다.

막연히 추측건대, 왕을 위한 우물이 있는 곳이니 여기가 대가야의 왕도가 아닐까?

'우리는 도대체 어디에 있는 거지?'

시간의 주름에서 길을 잃은 것은 아닐까? 막막한 나머지, 광대한 우주 속에서 미아가 된 느낌이다.

이때다!

둥기당당 둥덩둥덩 동당 동.

당동징징 당동징징.

바람결에 은은하게 들리는 가야금 소리.

10장
저물녘,
대가야 왕도에 서다

시르렁둥당, 왕도에 울려 퍼지는 가얏고 소리

아늑한 분지를 감싸고 흐르는 가야금 소리.

실제로 들리는 소리인가, 환청인가.

혹시 환청인가 싶다가도,

'찡찡 찡찡 동당동당.'

끊어질 듯하다가, 다시 이어지는 가야금 소리.

가야금 소리가 나는 방향을 찾아 두리번거린다.

저쪽 계곡인가, 이쪽 왕궁인가, 아니면 여염집 담장을 타고 흘러나오는 소리인가?

그도 그럴 것이 우륵이 충주 탄금대에서 가야금을 뜯을 때도, 가야금 가락이 강 건너 마을까지 들렸다고 한다. 가야금은 소리가 들리는 범위가 아주 넓다. 소리가 온 곳을 가늠하기 힘든 까닭이다.

무턱대고 가야금 소리를 좇아 걷는다. 얼마간 언덕을 오르니 편평한 땅이 나온다.

어느덧 날아갈 듯한 기와지붕이 보이기 시작한다. 대가야 왕궁이거니, 짐작한다. 왕궁을 마주한 나직한 산을 보며 또 걷는다.

왕궁을 삼엄하게 지키는 경비의 눈을 피해 걷다가, 뒤돌아보니 주산이 병풍처럼 우뚝 솟아 있다.

"앗, 저게 뭐지?"

노을 진 하늘이 붉게 물든다. 그 쨍쨍한 하늘 위로 올통볼통한 선이 먼저 보인다. 두 손으로 이마를 가리고 실눈을 뜨고 째려본다.

구름 너머 우뚝 솟은 산의 능선 위에 '무언가'가 더 있다. 그 '무언가'가 하늘가에 닿은 듯하다. 옆으로 미끈하게 떨어지는 곡선, 바로 대가야 왕들의 무덤이구나! 천공의 성 라퓨타처럼 하늘에 붕 떠 있는 전설의 무덤.

우아, 천공에 뜬 무덤이다!

이런! 이제야 눈치챘다! 가야금 소리가 들렸잖아! 우리는 가야금
이 생겨난 뒤의 시간에 와 있는 것이다.

비로소 우물가에서부터 시간의 아귀가 잘 맞지 않았던 이유를 알
겠다. 그래, 대가야에 왕이 있고 왕을 위한 우물이 있고 왕이 묻힌 무
덤이 있다면? 금관가야나 아라가야에 머물던 시간대와는 분명 다른
시간에 있는 게 확실하다.

어느 틈엔가, 120여 년을 훌쩍 건너뛰어 519년의 대가야 왕도에
온 거로구나! 드디어 마지막 여정에 제대로 도착한 것이다!

어느새 가야금 소리가 그쳤다.

'가야의 현충원', 지산동 왕릉

왕궁 옆에 서서 왕릉을 바라보고 있다.

천공에 뜬 전설의 무덤은 가히 충격적이다. 이 세상 어디에도 하늘
가에 닿은 무덤이 있다는 소리를 들어 본 적이 없다. 무덤이 구름보
다 높이 떠 있는 광경을 두 눈으로 보면서도 믿기 어려울 정도이다.

우리만 이런 반응을 보이는 게 아니다.

"산 위에 이 뭣꼬?"

1560년 처갓집이 있는 고령에 온 조선 선비 남명 조식 선생이 주산
능선 위의 무덤을 보고 몹시 놀라며 한 말이란다.

'대가야 왕릉은 왜 저렇게 높은 곳에 있지?'

처음 보자마자 든 의문이고 누구나 던질 만한 질문이다.

대가야 왕도는 좁은 분지에 있다.

잠깐 왕도를 훑어보아도, 손바닥만 한 고령 분지에서 대대로 왕의 무덤을 쓸 만한 공간이 절대적으로 부족하다. 하지만 이 설명만으로는 부족하다.

이유를 찾느라 왕궁을 보다가, 하늘가에 닿은 무덤을 쳐다보다가, 양쪽을 번갈아 가면서 보느라 눈이 바쁘다.

문득 이런 생각이 든다. 산등성이에 우뚝 솟은 왕릉의 위압적인 모습 자체가 대가야 왕의 위세를 드러내지 않을까? 저 왕릉을 보려면 반드시 고개를 쳐들고 '올려다보아야' 한다. 자연스럽게, 평지에 사는 백성들은 매일매일 왕릉을 우러러보게 된다. 동시에 왕릉에 모신 조상들이 후손들을 '굽어보며' 자애롭게 보살피는 느낌을 준다.

주산 정상에서 남쪽으로 뻗어 내린 주 능선과 가지 능선을 따라 줄지어 있는 대가야 무덤들을 우리 시대에는 '지산동 고분군'이라고 부른다.

총 길이 2.4킬로미터에 700여 기의 봉긋한 봉토분과 작은 무덤 수만여 기가 분포한다. 봉토분은 흙을 동글게 쌓아 올린 무덤을 말한다. 주로 대가야 왕이 묻혀 있다.

한 고고학자는 지산동 고분군을 일컬어 '가야의 현충원'이라고 한다. 능선 정상에는 대가야 왕과 왕비가, 그 아래에는 귀족들이, 산기슭에는 백성들이 묻혔다.

능선 정상의 이곳저곳에 흩어져 있는 왕들의 무덤은 땅에 기록한 대가야 왕가의 '족보'이다. 능선의 정상에 가까울수록, 봉분이 클수록 전성기 왕의 무덤이다. 44호분, 45호분, 47호분이 그러하다. 가장 대형인 47호분은 조선 시대부터 '금림왕릉'이라는 이야기가 입에서 입으로 전해 내려온단다.

정상에서 멀어질수록 무덤이 작아진다.

고령 지산동 고분군

하지만 가야 특유의 미끄러져 내리는 듯한 무덤의 곡선미는 이런 작은 무덤에 남아 있다.

섬진강 루트의 비밀!

땅거미 질 무렵이다.

선선한 가을 날씨가 더할 나위 없이 상쾌하다. 거리로 슬슬 걸어 나온다.

대가야의 왕도는 지금의 고령 읍내.

아까 들른 회천 동쪽의 알터 마을 근처가 작은 나라인 반로국 시절의 중심지였다. 그러다가 회천 서쪽의 주산 아래, 지금의 고령 읍내로 왕도를 옮기면서 대가야로 성장해 나갔다.

왕궁을 둘러싼 평지성을 한 바퀴 돌며 대가야 왕도를 구경할 참이다. 평지성은 흙을 단단히 다져 쌓아 올린 토성이다. 토성 주위에는 해자를 둘렀다. 해자란, 외적이 침입하는 것을 막기 위한 인공 못이다. 천천히 성 밖을 돌며 왕도의 요모조모를 구경할 참이다.

쩡쩡 쩡쩡.

망치 소리가 나는 쪽을 기웃거리니 대장간이다. 대가야가 급성장할 수 있는 바탕에도 역시 '철'이 있었다.

4세기 초, 반로국 시절에 합천의 야로를 차지하면서 장차 대가야 왕국으로 성장할 계기를 마련했다.

합천의 야로는 좋은 질의 철광석이 대량으로 묻혀 있는 철광석 산지이다. '야로'란 이름 자체가 대장간에서 쇠를 녹이는 가마인 '노'를 가리킨다.

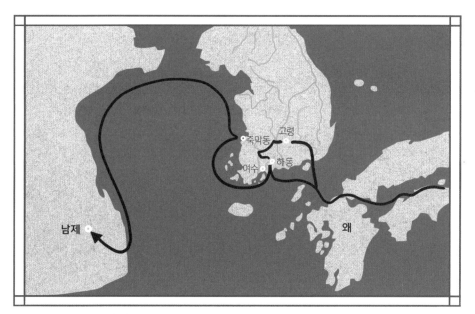

대가야의 교역 경로

대가야는 각 지방으로 가는 도로를 닦았다. 이 도로망과 연결하여, 뱃길을 이용한 대외 교류가 이루어졌다. 대가야의 주요 교통로는, 고령에서 섬진강을 통해 왜와 중국을 오가는 길, 고령에서 회천과 낙동강을 거쳐 왜로 가는 길이 있다. 그 밖에 남원에서 정읍을 거쳐 부안 죽막동으로 이어지는 길도 이용했다.

　우수한 철광석 산지를 확보하면서 대가야는 철 제품들을 '직접' 생산할 수 있게 되었다. 금관가야가 낙동강과 남해의 물길을 이용하여 철을 팔고 사는 중계 무역의 비중이 큰 데 비해, 대가야는 뛰어난 철 제품을 자체 생산하게 된 것이다.

　게다가 서기 400년 '고구려 광개토 대왕의 남정'으로 금관가야가 몰락하면서 김해 지방으로부터 철을 다루는 뛰어난 기술을 지닌 장인들이 한꺼번에 이주해 왔다.

　풍부한 철광석 산지와 철을 능숙하게 다루는 기술력이 결합하면서 대가야는 강한 나라로 발돋움할 수 있었다.

　가을날은 확실히 해거름이 빠르다. 해가 서산에 기울자, 우람하게 솟은 주산의 산 그림자가 왕도에 무겁게 드리운다.

왕궁의 앞산, 뒷산인 금산과 주산은 외적을 막는 천혜의 요새 역할을 한다. 거기에 머물지 않고 대가야는 주산에 돌로 산성을 쌓았다.

이로써 대가야는 고구려와 같은 '평지성과 산성의 이중 체계'를 갖추게 되었다. 평화 시에는 평지성 안에 머물고, 전쟁 시에는 산성으로 피난해서 끝까지 적과 싸우려는 것이다.

대가야는 주산성 외에도 여러 방향으로 쳐들어오는 적을 막기 위해 대야산성, 독산산성 같은 산성을 10여 개 더 쌓았다고 한다. 주산성을 중심으로, 외적의 침입에 물 샐 틈 없는 방어망을 친 것이다.

갑자기 의문이 생긴다. 대가야는 왜 이렇게 많은 산성을 쌓았을까? 역사학자들은 여기에 대가야 성장의 비밀이 숨어 있다고 말한다.

서기 479년 대가야 하지왕 때 일이다. 중국 남제에 사신을 보내 '보국장군 본국왕'이라는 작호를 받는다. 대가야가 국제 무대에 화려하게 등장한 사건이다.

대가야는 가야를 대표하는 왕국이라는 사실을 동아시아 세계, 그 당시로서는 국제 사회에서 인정받았다. 이미 대가야가 금관가야의 몰락과 함께 '가야'를 이끄는 맹주로서 등장한 뒤였다.

여기서 눈여겨볼 대목은 대가야 사신단이 중국으로 간 루트이다. 사신단은 고령에서 출발해서 땅 길로 거창-함양-남원-하동을 거쳐 섬진강 하구에서 바닷길로 중국 남제에 갔다. 내륙 지방인 고령에서 하동까지, 바닷길에 이르는 이 길이 바로 '섬진강 루트'이다!

물론 고령에서 낙동강을 통해 바닷길로 가는 길이 있긴 하다. 하지만 신라에 의해 낙동강 루트가 막힌 사정이 있다.

대가야는 섬진강을 통해 바닷길에 진출하게 됨으로써 '좁은 분지에 갇힌 내륙 지방'이라는 지리적인 약점을 극복했다.

대외 교류는 고대 국가가 성장하는 데 핵심이다. 대가야는 백제와 신라는 물론이고 섬진강을 통해 중국, 왜와 활발하게 대외 교류를 함으로써 강대국으로 비상하게 된 것이다.

대가야는 '섬진강 루트'를 뚫기 위해서 백제 땅인 거창과 산청, 함양, 남원 그리고 하동을 야금야금 차지한다. 이어서 여수, 순천, 광양 지역까지 세력을 뻗으면서 남해로 직접 진출하게 된다.

그러니까 왕도에 쌓은 10여 개의 산성은 대가야가 새로 확장한 영토로부터 쳐들어올지도 모르는 외적을 막기 위한 용도였다. 대가야는 전성기 때 섬진강을 넘어 지금의 전라도 땅까지 영토를 확장했다.

우리 시대에 영호남 간의 지역 갈등을 극복하는 일이 만만치 않은 과제이다. 대가야가 영호남을 아우르는 영토를 유지하며, 영호남의 문화가 섞인 찬란한 문명을 이룬 것은 참으로 대단한 일이다.

우륵 12곡에 담긴 가실왕의 정치학

모퉁이 저쪽이 시끌시끌하다. 싸움이라도 났나 싶었는데, 이런 행운이! 대가야 왕의 행차란다! 젖 먹던 힘까지 짜내어 성문 앞으로 뛰어간다.

성문 앞에 왕의 행차를 구경하려는 백성들이 구름처럼 모여 있다. 엄청난 인파 속에서 다들 왕을 조금이라도 잘 보기 위해 까치발을 딛고 있다. 염치 불고하고, 사람들 사이를 두더지처럼 움실움실 뚫고 앞으로 나아간다.

해자에 걸친 작은 구름다리 위로 왕이 탄 가마가 흔들흔들 건너가는 중이다.

'안광', 눈에서 레이저 같은 빛이 난다. 천금 같은 기회를 일 초라도 놓칠세라 눈을 부릅뜬다.

어느새 행렬의 꽁무니가 보인다. 성문이 닫히고, 작은 구름다리도 제자리로 올라간다.

왕의 행차가 눈앞에서 완전히 사라지자, 백성들 사이에서 "아!" 하는 탄식이 여기저기서 흘러나온다. 다들 쉽사리 자리를 뜨지 못한다. 대가야 시대나 조선 시대나 왕의 행차는 제일가는 구경거리다.

아주 짧은 순간이었지만 가마에 탄 대가야 왕의 뒷모습을 똑똑히 보아 두었다. 화려한 무늬의 자줏빛 비단옷을 입었는데 머리에 쓴 금동관이 인상적이다.

금동관 꼭대기에 큰 꽃봉오리 장식이 솟았고 좌우에 세운 가지에는 작은 꽃봉오리가 붙었다. 사슴뿔 모양의 장식을 한 신라 금관과 확연히 다르다.

우리가 본 왕은 과연 누구였을까?

뒷모습으로 미루어 보건대, 체격이 호리호리하고 얼굴이 갸름한 듯하다. 대가야 백성들에게 물어봤자 알 턱이 없다. 왕의 이름은 죽은 뒤에 붙이는 것이니까.

눈앞에서 사라진 왕이 누군지 너무나 궁금한 나머지 대가야 왕들의 족보를 따지기 시작한다. <삼국사기>에는 "대가야 왕이 시조 이진아시왕으로부터 도설지왕까지 16대 520년간이었다."라고 기록되어 있다. 그 가운데 이름이 알려진 왕은 대여섯 명뿐이다.

이진아시왕, 금림왕, 하지왕, 도설지왕은 우리가 온 시대와 전혀 맞지 않는다. 남은 왕은 가실왕과 이뇌왕뿐인데, 묘하게 시대가 얼추 맞는다. 6세기 초 가실왕이냐, 6세기 중엽 이뇌왕이냐? 그렇다면 가실왕일 가능성이 높지 않을까? 조심스럽게 추측해 본다.

이때다!

지산동 금동관

대가야는 가야 중에서 유일하게 금관과 금동관이 모두 나온 나라이다. 신라 관이 나뭇가지와 사슴뿔 모양인 데 비해 대가야 관은 풀잎이나 꽃잎 모양이다.

'대왕'이 새겨진 긴목항아리
대왕이란 글자가 토기 뚜껑과
단지 몸통에 각각 새겨져 있다.
대가야에 왕이 존재했다는 사실을
알려 주는 토기이다.

둥기당당 둥덩둥덩 동당 동.

당동징징 당동징징.

바람결에 다시 은은하게 가야금 소리가 들린다. 저 가야금은 도대체 누가 뜯는 것일까?

성문 앞에서 여태 머뭇거리고 있는 한 사내에게 묻는다. 눈빛이 반짝반짝한다.

"누구긴 누구요? 우륵 악사님이지요!"

그 사내는 별걸 다 묻는다는 듯이 대답한다.

'우아, 우륵을 뵐 수 있다니!'

온몸이 떨려 온다. 그 사내에게 우륵 악사님이 계신 곳을 묻자 답답하다는 듯이 손가락으로 저쪽 계곡을 가리킨다.

"아, 어디긴 어디요? 정정골 우륵 악사님 댁이지요."

사내는 우륵 악사가 사는 계곡에서 맨날 '정정 쩡쩡' 가야금 소리가 나서 '정정골'이라고 부른다는 이야기를 덧붙인다. 우리 시대에 우륵 기념탑이 세워진 곳이다.

지금 정정골에 가면 우륵 악사님을 뵐 수 있냐니까 "어데예! 택도 없심더!" 하며 사내가 단호하게 고개를 젓는다.

"나라님께서 우륵 악사님에게 가야금 노래를 12곡이나 지으라는 명을 내리셨잖아요."

우륵 악사의 집 주위에 아무도 얼씬도 못 한다.

몇 달째 문을 굳게 닫고 사람들과의 접촉을 끊은 채 두문불출하며 12곡 작곡에만 매달려 있단다. 나라님께서 시킨 일이라 12곡이 완성될 때까지는 내용도 비밀에 붙인단다. 그저 시도 때도 없이 정정골에서 울려 퍼지는 가야금 소리를 이따금씩 들으며 우륵 악사의 안부를 확인할 뿐이란다.

아, 환청이 아니었구나! 이제야 우물가에서 들은 가야금 소리가 어디서 온 것인지 확실히 알 수 있게 되었다.

가실왕은 삼한 시절부터 내려오는 10줄 현금과 중국의 쟁을 참조해서 12줄 가야금을 만들도록 했다. 가야금은 어느 날 세상에서 뚝 떨어진 악기가 아니다. 나라 안팎의 현악기를 참조하고 본떠 개량된 악기이다.

그러고 나서 가실왕은 우륵을 불러들인다. 우륵은 원래 성열현(경남 의령군으로 추정함) 사람인데, 가실왕의 부름을 받아 삶의 터전을 옮겼다. 가실왕은 우륵에게 독특한 주문을 한다.

"가야는 나라마다 방언이 각기 다르다. 어찌하면 하나로 통일할 수 있겠는가?"

가야 여러 나라의 사투리가 다르다는 말은 이해할 수 있다. 지금도 경상남도 안에서도 사투리가 조금씩 다르니까. 가실왕은 왜 하필이면 우륵 같은 '악사'에게 사투리의 통일에 대해 이야기한 걸까?

여기에는 가실왕의 정치적 의도가 짙게 깔려 있다.

우륵이 작곡하는 중인 가야금 12곡의 이름은 '가야에 속하는 작은 나라들'의 이름에서 따온 것이다.

그 이름이 <삼국사기>, <삼국유사>나 일본의 역사책에 남아 있다. 역사책마다 남아 있는 이름이 약간씩 다르긴 하지만 김해와 고령을 선두로 하고, 여수, 사천, 광양, 장수, 임실, 거창, 합천, 의령, 남원 등이다. 대체로 경남 서부와 전라도에 있는 작은 나라들로서 대가야의 영토에 새롭게 편입된 지역이다.

악성 우륵

우륵은 제자 이문과 함께 신라로 갔다. <삼국사기>에 따르면 551년 충주에 행차한 진흥왕 앞에서 가야금을 연주했다고 한다. 짧은 역사 기록만으로는 우륵이 가야금을 지키기 위해 신라에 망명했는지 포로로 잡혀갔는지 알 수 없다.

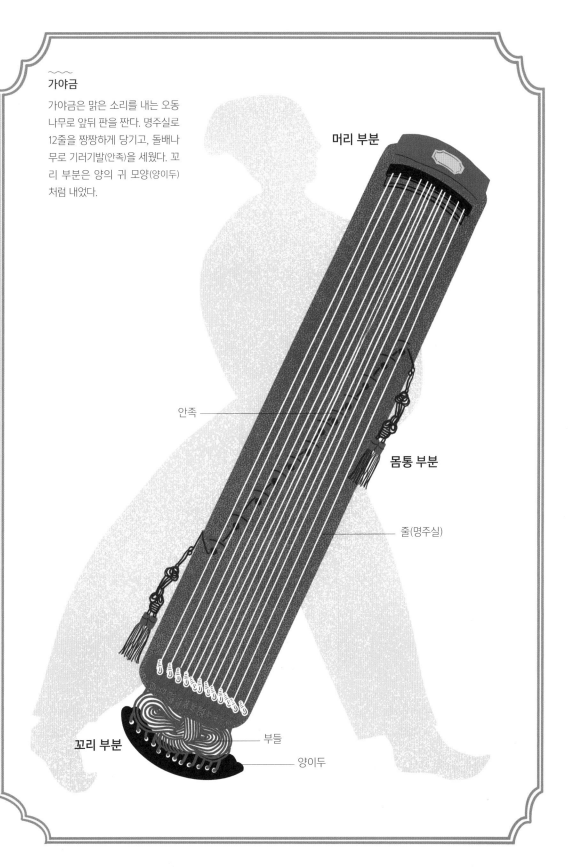

가야금

가야금은 맑은 소리를 내는 오동
나무로 앞뒤 판을 짠다. 명주실로
12줄을 짱짱하게 당기고, 돌배나
무로 기러기발(안족)을 세웠다. 꼬
리 부분은 양의 귀 모양(양이두)
처럼 내었다.

머리 부분

안족

몸통 부분

줄(명주실)

부들

양이두

꼬리 부분

가실왕은 말로는 사투리의 통일을 이야기했지만, 심중에 둔 깊은
뜻은 새로이 편입된 지역을 대가야로 아우를 수 있는 묘책을 찾고자
한 것이다. 물론 그 방법은 '가야금 12곡'을 통한 대가야의 정치적 통
합이다.

실로 가실왕은 '노래의 힘', '음악의 힘'을 잘 알고 있었던 것으로
보인다. 노래나 음악은 사람의 감성에 호소해 공동체의 화합과 결
속을 다지는 기능을 한다.

우리는 앞서 새벽 구지봉에서 노래의 힘을 이미 목격했다. 아홉 촌
장이 함께 입을 맞추어 구지가를 부르자 소원이 이루어졌다. 우리 시
대에 나라 간 축구 경기를 시작하기 전에 애국가를 부르는 것도 승리
를 위해 공동체의 결속을 다지는 행위이다.

가야금을 연주하는 토우
긴목항아리에 장식되어 있다.
경주 황남동 출토.

아쉽게도, 후대의 역사는 가실왕이 뜻한 바대로 가야금 12곡을 통한 정치적 통합에는 성공하지 못했다는 사실을 알려 준다.

대가야는 쇠락해 갔고 우륵은 신라에 투항했다.

가야는 잊혀 갔어도 '가야금'은 1,500년 세월의 무게를 견디며 우리나라를 대표하는 악기로서 거뜬히 살아남았다. 역설적으로 '음악의 힘'을 느끼게 하는 대목이다.

그새 날이 어둑어둑해졌다. 찬 기운이 느껴져 옷깃을 치켜세운다.

흙구슬 놀이 하는 아이들

왕궁을 둘러싼 평지성을 한 바퀴 거의 다 돌았을 즈음이다.

골목에서 아이들이 뛰어노는 소리가 들린다. 해맑은 아이들이 조잘대는 소리는 마냥 사람을 기분 좋게 한다.

골목 안에서 서너 명의 아이들이 구슬치기를 하며 놀고 있다.

대가야 아이들도 구슬치기를 하는구나!

그 모습이 우리 시대와 크게 다르지 않다. 다만, 흙으로 빚은 다음

가마에 구운 흙구슬이라는 점 외에는. 우리 시대에는 유리구슬로 구슬치기를 하는데 말이다.

골목 땅바닥에 작은 원을 긋고 그 안에 흙구슬을 모아 놓았다. 아이들이 2~3개씩 자기 몫에서 내놓은 흙구슬이다.

아이들이 정한 순서대로 구슬치기를 한다. 나이가 제일 어려 보이는 꼬마 차례다. 콧물을 질질 흘리는 꼬마가 구슬을 살살 굴린다. 구슬이 원에 닿지 못하고 중간에서 그만 멈춰 버린다. 꼬마가 엄지 구슬을 그 자리에 놓고 차례를 물려 준다.

이번에는 키 큰 형아 차례다. 형아가 구슬을 던진다. 딱, 소리가 크게 나더니 원 안에 있던 구슬 중에서 대여섯 개가 원 밖으로 나온다.

형아가 구슬을 따먹고, 다시 구슬을 던진다. 이번에는 꼬마가 놓고 간 엄지 구슬을 딱 맞힌다. 꼬마가 제가 딴 구슬을 다 내어놓아야 할 처지가 됐다.

엉엉. 난데없이 꼬마가 땅바닥에 털썩 주저앉더니 서럽게 울어 댄다. 구슬을 내어놓기 싫어 생떼를 부리는 것이다. 형아가 난처해서 어쩔 줄 몰라 한다.

"저녁 먹어라!"

골목 여기저기서 밥 먹으라며 아이들을 불러 대는 소리가 드높다.

이 틈을 타서 꼬마가 제 흙구슬을 갖고 내뺀다. 구슬치기 놀이도 자연스레 막을 내린다.

이 집 저 집 등잔에 하나둘씩 불이 켜진다. 나직나직한 담벼락을 타고 생선 굽는 냄새, 국 끓이는 냄새가 풍긴다. 최대한 코를 벌름거리며 냄새를 맡아 본다.

골목 막다른 집의 대문이 반쯤 열려 있다.

떵떵거리는 귀족의 집이라도 되는 걸까? 보통 백성들이 사는 초가

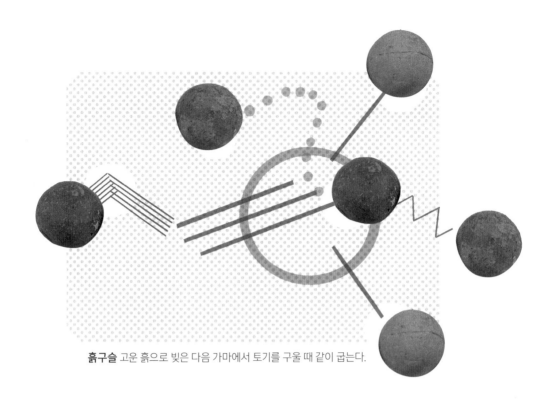

흙구슬 고운 흙으로 빚은 다음 가마에서 토기를 구울 때 같이 굽는다.

집과 달리 드물게 기와를 얹은 집이다. 대문이 열린 틈새로 엿보니, 한눈에도 살림이 넉넉해 보인다. 등잔을 켜 놓아서 온 집 안이 환하다.

대청마루에는 7개의 작은 등잔을 굽다리 접시 위에 얹은 토기 등잔이 놓여 있다. 7개의 등잔에 심지를 돋우고 기름을 부어 어둠을 환하게 밝힌다.

온 가족이 모여 저녁을 함께 먹는 중이다. 특별한 날이라도 되는지 저녁상을 아주 걸게 차렸다. 저녁상에는 자글자글 기름이 배어나는 청어구이에 국물을 바특하게 조린 대구찜, 삶은 고둥, 시원한 조갯국, 심심해 보이는 나물 무침 그리고 통닭이 온새미로 올라 있다.

아이들이 통닭을 보자마자 달려들어 닭다리를 뜯는다. 순식간에 토기 그릇에 닭 뼈만 앙상하게 남는다.

내륙 지방인 대가야의 밥상에 해산물이 올라간 지 꽤 되었다.

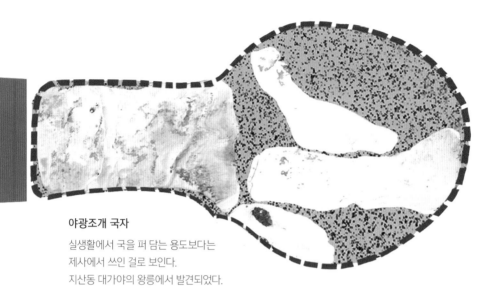

야광조개 국자
실생활에서 국을 퍼 담는 용도보다는
제사에서 쓰인 걸로 보인다.
지산동 대가야의 왕릉에서 발견되었다.

　대가야가 섬진강 루트를 개척한 이후에 생긴 변화이다. 소나 말이 끄는 수레를 이용하여 덩이쇠와 철 제품, 쌀과 곡식, 토기 등을 해안가에 내보내고 생선과 조개, 고둥, 소금 등을 들여온다.

　'앗, 저게 뭐야?'

　아니, 조갯국을 야광조개 국자로 퍼 담는 게 아닌가? 저 야광조개

닭 뼈 보이는 토기

는 오키나와 근처의 섬에서만 산다. 500년을 전후한 시기에 오키나와나 그 지역 부근의 세력들이 생산한 국자인데! 대가야가 왜를 넘어 오키나와 지역과도 교류했다는 사실을 알 수 있다.

소슬바람이 분다. 아이들이 뛰놀았던 골목 안을 가만히 본다. 아이들이 없는 골목은 고즈넉하다. 갑자기 울컥하며 눈자위가 붉어진다. 하루치기 여행이라도 머나먼 시간 여행을 떠나온 탓일까? 어둑어둑한 골목에서 그만 쓸쓸한 느낌에 사로잡히고 말았다. 음식 냄새에 괜스레 가슴이 저며 온다.

이제 돌아갈 시간이 된 걸까? 문득 두고 온 집과 사람들이 그리워지니…….

우리는 쫓기듯 골목을 빠져나온다.

굽다리 등잔

11장
주산성에
가야의 별이 돋다

철 갑옷을 입은 대가야 기마 무사단

따각따각 따각.

멀리서 굉음에 가까운 말발굽 소리가 난다. 요란한 말발굽 소리에 쩔그렁쩔그렁 쇳소리가 섞여 천지를 뒤흔든다. 말발굽 소리에 왕도가 부르르 떠는 듯하다.

평소처럼 저녁을 맞이하던 왕도가 발칵 뒤집힌다. 왕궁 앞 거리를 걷던 백성들이 황급히 뒷걸음쳐서 길을 내어 준다. 우리는 백성들이 물러난 자리를 파고들며 앞으로 나아간다.

대오의 맨 앞에 긴 칼을 찬 나이 지긋한 장수가 보인다. 투박한 왼손으로는 말고삐를 죄고 오른손엔 하늘을 찌를 듯한 아주 긴 창을 들었다.

비늘 갑옷에 목 가리개, 허리 가리개, 팔 가리개를 하고 머리에는 챙 달린 투구까지! 적에게 공격당할 빈틈을 주지 않는 '완전 무장'이다.

우아, 말도 완전 무장이다. 말의 목에서부터 엉덩이를 비늘 갑옷으로 감쌌다. 말의 대가리에도 말 투구를 씌웠다.

고구려 벽화에서나 보던 '개마무사'를 눈앞에서 보다니! 눈 깜짝할 사이에 흙먼지를 일으키며 장수가 탄 말이 눈앞을 스쳐 간다.

카메라가 연속 촬영 모드로 피사체를 따라가며 찍듯이, 우리의 시선이 장수를 따라잡느라 바쁘게 움직인다.

코앞에 장수가 지나가자 말방울 소리가 쩔렁 울린다. 장수의 말 뒤꽁무니에 뱀처럼 꾸불꾸불한 깃꽂이에 꽂힌 작은 깃발이 휘날린다. 은 상감 기법으로 용과 봉황을 새긴 둥근 고리 칼자루가 어스름 속에서 반짝 빛난다. 저렇게 긴 칼은 지휘관을 상징하는 무기이다.

장수의 뒤로 깃발 부대와 말 탄 기병들이 빠르게 지나간다. 기병들은 비늘 갑옷을 입고 긴 창을 들었다.

그 뒤로 보병들과 궁수들이 대열을 맞추어 거의 뛰듯이 걷는다. 보병들과 궁수들은 판갑옷을 덧입었다. 보병은 시퍼런 날이 선 도끼를 들고 달린다. 궁수는 활 통을 어깨 뒤로 메고, 큰 활을 옆구리에 낀 채 뛴다.

실제 전투에서는 보병이 주력 군사이다. 말 탄 기병들은 창을 휘두르며 적의 측면을 공격해서 대열을 흐트러뜨리는 역할을 맡는다.

조금 떨어져 있는데도 헉헉대는 거친 숨소리가 느껴진다. 군사들의 눈초리에서 피비린내 나는 전쟁터에서 갓 돌아온 살기가 감돈다.

군대의 맨 끝까지 썰물 빠지듯 순식간에 사라지자 어색한 평화가 잦아든다. 잠자리에 들 시간에 느닷없이 중무장한 군대를 본 백성들은 공연히 싱숭생숭해서 자리를 뜨질 못한다. 삼삼오오 모여 수군수군한다.

"다 저녁에 무슨 일이랴?"

"또 백제 놈들이랑 왜놈들이 말썽을 부린 거야?"

"요즘 신라 놈들은 잠잠하니."

"아, 몇 년 전에도 백제 사신을 호위하던 왜놈들이 하동에 쳐들어왔잖아?"

이때 발 빠른 소식통이 달려온다. 삽시간에 백성들이 그를 에워싼다.

"아, 백제와 왜 연합군이 하동 고소산성에 쳐들어왔대."

"어찌 됐다는가?"

백성들이 침을 꿀꺽 삼키며 소식통의 입만 쳐다본다.

"어쩌긴! 장수님이 백제군이랑 왜군들을 단번에 쓸어버렸지."

백성들 사이에서 "후유!" 하는 안도의 한숨이 일제히 나온다.

"우리 대가야 군사들이야 용맹스럽기로 이름이 났지!"

"아무렴."

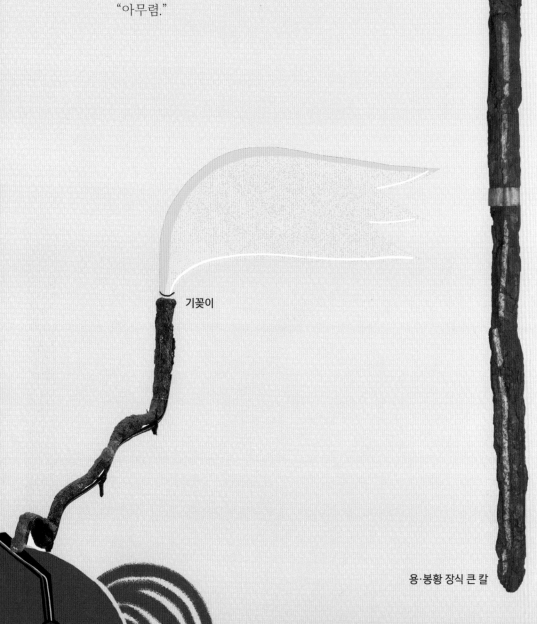

기꽂이

용·봉황 장식 큰 칼

백제는 여수, 순천, 광양, 남원, 임실을 되찾는 데 혈안이 됐다. 특히 섬진강 하구에서 남해로 나가는 길목에 있는 하동을 빼앗긴 게 두고두고 뼈저렸다.

　지난 몇 년간, 백제는 왜와 연합군을 이루어 수시로 대가야를 공격해 왔다. 이에 대비하여, 대가야는 하동에 고소산성을 세우고 봉수대를 설치했다.

　입빠른 소식통에 따르면, 오늘 봉수대에서 봉화가 올랐다고 한다. 적군의 규모가 상당하다는 다급한 연락이 왔다. 그러자 주산성에 주둔하던 대가야 본대가 지원을 하러 출동했다.

　본대가 지원 온다는 소식에 백제와 왜 연합군이 도망가기 바빴단

철 갑옷 입은 개마무사 벽화(집안 통구 12호 무덤)

다. 백전백승 장수가 이끄는 본대가 연합군의 후미를 쳐서 혁혁한 공을 세우고 적군의 칼과 창도 많이 거두어 왔단다.

장수가 왕에게 전투 결과를 보고하고 주산성에 있는 주둔지로 돌아가는 길, 백성들은 두 다리를 쭉 뻗고 자도 된단다.

그제야 백성들은 뿔뿔이 흩어진다.

우리도 우물 근처에 말을 매어 둔 곳으로 간다. 말이 심심한지 뒷발질을 한다.

이제 집으로 돌아갈 시간이다.

도끼 부대 병사
도끼는 보병의 주력 무기였다.

말 띠 드리개

말 띠
꾸미개

궁수
궁수는 재빠르게 활을
쏘아야 하므로 위에만
갑옷을 입었다.

판갑옷
얇은 철판을
연결해 만든
갑옷

비늘 갑옷
작은 철판을
가죽으로
엮어 비늘처럼
만든 갑옷

대가야의 장수

장수는 용 또는 봉황 장식 고리칼을 차고
온몸을 철 갑옷으로 둘렀다. 심지어
말까지 완벽하게 무장했다.

목 가리개

말 투구

말 갑옷

기수

대가야의 기마 무사단

가야의 최첨단 제철 기술은 갑옷과 화살촉, 긴 창과 칼, 도끼 같은 무
기 제작에서도 단연 뛰어났다. 특히 얇은 철판을 사람 몸에 맞추어
만든 갑옷은 다른 철기에 비해 노련한 기술을 필요로 했다.
이렇게 철로 무장한 가야의 병사들은 '철기'라는 이름으로 불리며 지
배와 권력의 상징으로 여겨졌다.

지산동 왕릉에서 본 수상한 귀족 소녀의 정체

가야산으로 가는 중이다. 칠흑 같은 어둠이 찾아왔다.

왕도의 민가에 켜진 불빛들이 희미하게 깜빡거린다.

어둠에 겁먹은 말이 제자리에서 헛발질을 해 댄다. 말을 살살 달래 가며 좁은 산길을 오른다. 이런 어둠 속에서는 길을 잃기 십상이다. 약간 돌아가더라도 군데군데 횃불을 밝힌 주산성을 끼고 가기로 마음먹었다.

멀찌감치 주산성을 지키는 횃불이 타오른다. 망루에서 창을 든 보초병이 보인다. 경비병들에게 들키지 않기 위해 횃불과 일정한 거리를 두고 달린다. 허우적허우적 가파른 산길을 오르는데 나뭇가지 사이로 별빛이 흐른다.

별이 하나둘씩 돋는다.

산등성이에 가까워진다. 잠시 가던 길을 멈추고 밤하늘을 올려다본다.

아아, 만천하가 별이다!

가야의 별이다.

전깃불이 없는 밤하늘은 모두 별들 차지이다.

W 자를 거꾸로 한 모양의 카시오페이아가 하늘 높이 떠 있다. 은하수가 내처럼 굽이굽이 흐른다. 은하수를 사이에 둔 견우 직녀 별자리가 보인다, 보여! 여름 별자리이지만 가을에도 잘 보인다.

오호, 저건 북극성! 이제 곧 주산성을 벗어나면 가야산까지는 북쪽으로 쭉 올라가기만 하면 된다. 북극성을 나침반 삼아 걸으면 길을 잃을 염려가 없겠다. 국자 모양 북두칠성은 하늘가에 낮게 깔려 있다.

지산동 왕릉을 지날 무렵, 어디선가 두런두런 사람 소리가 난다! 어두컴컴한 산길에서 오금이 저려 온다. 반사적으로 말에서 뛰어내려 몸을 최대한 낮춘다. 말이 놀라지 않도록 배를 쓰다듬으며 다독거린다.

　그 순간, 다급한 발소리가 점점 가까이 들려온다. 한 무리의 사람들이 거의 달음박질치듯 달아나는 중이다. 달빛 아래에서 보아도 근육질의 건장해 보이는 사내들이다. 남의 눈을 피해 달아나려고 하는 모습이 뚜렷하다.

　"무서워! 어디로 가는 거야?"

　불안과 두려움에 떠는 어린 소녀의 목소리가 들린다.

　"아가씨, 걱정 마세요. 일단 여기를 빠져나가야지요."

　어라, 비단옷을 입은 소녀가 한 사내의 등에 업혀 있잖아!

　소녀를 등에 업은 사내, 그 사내가 '아가씨'라고 부르는 비단옷 입은 소녀……. 아무래도 소녀는 지체 높은 귀족 집안 출신인 것 같다.

　한밤중 깊은 산에서 도대체 무슨 일이 벌어진 걸까?

　배를 바짝 땅에 대고 산등성이까지 기어 올라간다. 높은 곳에서 상황을 살피려는 것이다.

　하늘을 수놓은 무수한 별빛과 보름달에서 한쪽 귀퉁이가 이지러진 달빛이 언덕을 제법 환하게 비춘다.

　'으악, 저게 뭐지?'

　하마터면 비명을 지를 뻔했다.

　산등성이에서 멀지 않은 언덕 여기저기에 깊고 넓은 구덩이들이 파여 있다. 용기를 내어 좀 더 가까이 다가가서 본다. 한가운데 아주 넓은 으뜸 돌방이, 그 주위에 딸림 돌방이 두 개 더 파여 있다. 그리고 작은 돌방들이 부챗살 모양으로 벌여 있다.

'아! 여기가 바로 순장 묘로구나!'

온몸의 털끝이 쭈뼛 서는 느낌이다.

가야를 비롯한 고대 사회에서는 왕이 죽으면 산 사람을 껴묻거리와 함께 묻는 장례 풍속인 '순장'을 치른다. 왕이 죽어도 살아생전과 똑같은 사후 세계가 기다리고 있다는 믿음 때문이다.

껴묻거리로는 왕이 살아생전에 사용한 물건들을 딸림 돌방에 넣는다. 토기, 옷, 금관, 귀걸이와 목걸이 같은 장신구, 허리띠, 가죽신, 갑옷과 투구, 말갖춤, 먹을거리……. 수천 근의 덩이쇠는 저승으로 가는 사후 여행의 노잣돈으로 돌방 속에 들어간다. 또 왕이 타던 말이나 왕이 소유한 소, 돼지 같은 가축들도 껴묻거리에 포함된다.

그리고 왕에 딸린 '사람들'이 딸림 돌방에 묻힌다. 가까이에서 모신 시녀와 시종, 호위무사, 왕의 말을 돌보는 마구간지기, 창고를 지키는 고지기들이다. 작은 돌방에는 무사, 일반 백성, 노예가 순장된다.

놀라운 점은, 왕의 곁에서 정사를 돌본 귀족들과 그 자녀들도 순장조에 포함된다는 사실이다. 귀족들은 최고 권력자인 왕의 무덤에 같이 묻힘으로써 가문에 영광이 돌아간다고 믿었단다.

그렇다면 저 귀족 소녀는 왜 도망치려는 것일까?

추측건대, 어린 딸을 산 채로 묻히게 할 수 없다는 절절한 부모의 사랑이 가문을 빛내고자 하는 공명심을 물리친 것은 아니었을까?

아니나 다를까, 작은 돌방의 뚜껑돌만이 열려진 채로 있다. 저 귀족 소녀가 묻혀 있다가 탈출한 돌방인 것 같다.

우리 시대 상식이나 인권 의식에 비추어 보아, 순장은 도저히 납득하기 힘든 풍속이다. 최고 권력자를 위해 산 사람을 묻다니!

하지만 섣부른 비난은 금물이다. 먼 옛날에 벌어진 일은 그 시대 사람들이 생각하고 믿는 방식대로 먼저 이해해야 한다.

① 왕릉 장소를 정하고, 주변을 정리한다. 왕이 묻힐 으뜸 돌방과 껴묻거리를 넣을 딸림 돌방, 순장 덧널을 만들 구멍을 판다.

② 왕을 위한 돌방과 순장 덧널을 만들고, 무덤 가장자리에는 둘레돌을 쌓아 구역을 표시한다.

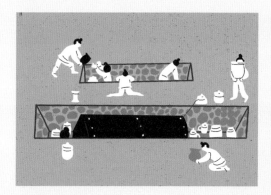

③ 으뜸 돌방에 왕의 시신을 모신 관과 순장자, 껴묻거리를 함께 넣는다. 딸림 돌방에는 각종 껴묻거리와 창고지기를, 순장 덧널에는 순장자와 껴묻거리를 넣는다.

④ 넓고 긴 판 모양의 뚜껑돌로 돌방과 순장 덧널을 덮는다. 틈새는 작게 깬 돌과 찰흙으로 메운다.

⑤ 일정한 두께로 흙을 편평하게 쌓아 다지는 과정을 반복하며 봉분을 쌓는다.

⑥ 왕릉이 완성되면 제사상을 차리고 제사를 지낸다. 어떤 그릇은 깨뜨려서 무덤 주변에 뿌린다.

막강한 권력을 쥔 지배자가 있던 고대 동서양에서 순장은 널리 행해진 장례 의식이었다. 무엇보다 그들은 사후 세계와 영혼의 존재를 믿었다. 그 누구도 죽음 뒤의 세계를 알지 못한다. 그래서 더욱더 두려운 것이 죽음일지도 모른다.

우리와 다르게, 죽은 뒤에도 이승과 똑같은 세계가 있다는 사실을 믿은 사람들에게 죽음은 어떻게 다가왔을까?

고대 로마 이전에 이탈리아 중부에서 살았던 에트루리아 사람들의 삶에서 그 답을 찾을 수 있다. 죽음에 대한 '경쾌한 태도' 말이다.

"에트루리아인들에게 죽음이란
여전히 보석과 와인과 춤을 추기 위한
음악이 있는 삶의 즐거운 연장이었다.
황홀한 축복, 천국도 아니었고,
고통의 연옥도 결코 아니었다.
그저 풍요로운 삶의 자연스러운 연장이었다."

–D.H.로렌스의 <에트루리아 유적 기행기> 중에서

이승의 삶을 사후 세계에서 연장시키고자 한 순장 풍습은 신라 지증왕 때 금지되었다. 산 사람 대신 흙인형인 토용을 무덤 속에 넣었다. 백성을 힘이 아닌 덕으로 다스리겠다는 통치 이념이 굳건히 자리를 잡아 갔다.

그사이, 산길을 어지럽힌 발소리는 완전히 사라지고 없다. 사방이 조용하다. 말을 다시 찾고 산길을 달린다.

이제 주산성을 완전히 벗어났다. 머리 위에 있는 북극성을 따라 북쪽으로, 북쪽으로 간다. 별빛 내리는 산길은 고즈넉하다. 세상천지에 별과 말과 우리가 있을 뿐이다. 이상하게 두려움이 사라졌다. 길을 잃을 염려에 시달리지 않아서일까?

'별이 갈 방향을 알려 주니 얼마나 행복한가?'

마음에 평화가 깃드니, 지산동 왕릉에서 만난 귀족 소녀가 퍼뜩 떠오른다. 이제야 숱한 의문이 고개를 든다.

저녁 무렵에 슬쩍 본 대가야 왕은 분명 건강해 보였다. 그렇다면 귀족 소녀가 묻힐 뻔한 왕릉은 누구의 무덤이었단 말인가? 설마 순장당한 소녀의 원혼은 아니었겠지? 헉, 갑자기 오싹하다.

과연 그 소녀는 탈출에 성공했을까? 가야에서는 살 수 없을 텐데 어디로 갔을까? 신라나 백제? 아니면 바다 건너 왜로 갔을까?

급기야 상상이 극단으로 치닫는다. 우리처럼 시간 여행을 왔다가 시간의 주름에서 길을 잃은 소녀는 아니었을까? 머리를 가로젓는다. 가야의 별만이 알고 있을 거다.

어느새 가야산으로 접어들었다. 가야산 중턱에서 말을 보내기로 한다. 하루 종일 수고한 말을 꼬옥 껴안는다. 말갈기에 얼굴을 묻고 "수고했어. 고마워!" 하고 소곤거린다. 말은 히힝 하고 대가리를 쳐들더니 쏜살같이 계곡 쪽으로 달려간다.

이제 현실로 돌아갈 시각이다. 뒤를 돌아다본다. 칠흑 같은 어둠뿐, 아무것도 보이지 않는다. 다만 가야에서 보고 들은 것들이 환영처럼 스친다.

산중에 처연한 가을바람이 분다. 다시는 올 수 없는 곳, 다시는 볼 수 없는 사람들······.

마지막 인사를 건넨다.

가야여! 안녕!
가야 사람이여! 안녕!

가야산 해인사에서

푸르스름한 새벽 기운이 퍼진다.

계곡을 끼고 울창한 숲길을 부지런히 걷다 보니 어느덧 해인사에 이르렀다. 해인사 일주문의 울긋불긋한 단청을 보는 순간, 시간 여행 내내 신경을 옥죄던 긴장의 사슬이 스르르 풀린다. 뺨을 간질이는 가을 바람, 졸졸졸 계곡물 소리가 비로소 현실에 돌아왔다는 사실을 느끼게 해 준다.

해인사 일주문에 천천히 들어선다. 봉황문을 지나 해탈문으로 향하다가 오른쪽에 있는 작은 건물, 국사단 앞에서 발길을 멈춘다. 팔만대장경이 모셔진 장경판전에 가기 위해 해인사에 두어 번 들른 적 있지만 국사당에 눈길이 꽂힌 건 처음이다.

국사단은 산신이자 토지 신인 국사대신을 모신 곳이다. 그런데 국사단을 소개하는 문화재 안내판에 가야산 신 '정견모주'가 소개되어 있는 게 아닌가! 그 아래에는 정견모주가 하늘신 이비가와의 사이에서 이진아시왕과 수로왕을 낳았다는 이야기가 적혀 있다. 우리가 알터 마을 노인에게 들은 대가야의 건국 신화 그

정견모주

대로이다.

국사단 앞 돌계단을 훌쩍 뛰어올라 사당 안을 들여다본다. 비록 후대에 그려진 그림이라고 할지라도 정견모주 그림을 보니 반갑기 그지없다. 방금 떠나왔는데도 가야에서 머문 하루가 새삼스럽게 그립다.

우리는 정견모주 그림 앞을 쉽게 떠나지 못한다. 숱한 상념이 우리의 발목을 붙잡는다. 가야의 시작인 정견모주를 보면서 '가야의 끝'이 생각나는 건 무슨 까닭일까? 아마도 가야의 끝을 잘 알고 있기 때문이리라.

562년 신라 장군 이사부가 이끄는 신라군에 의해 대가야가 멸망함으로써 가야의 역사는 막을 내린다. 흥망성쇠를 거듭한 고대 국가에서 가야의 멸망이 유달리 애달픈 까닭은 없다. 다만 가야인이 스스로 남긴 가야의 역사가 문헌 기록으로 전혀 남아 있지 않다는 점이 유감스러울 뿐이다.

우리가 직접 보았듯이, 수준 높고 다채로운 문화를 남긴 가야인이 역사 기록을 남기지 않았을 리 없다. 가야사를 연구하는 학자들은 신라에 의해 가야의 역사가 고의적으로 누락되었을 거라고 본다. 그래서 고구려, 백제, 신라 삼국의 역사만이 김부식이 쓴 <삼국사기>에 실렸을 것이라고 추측한다.

그런데 말이다. 역사 기록이 사라졌다고 해서 가야가 금세 잊힌 것
은 아니다.

7세기 중엽 신라 문무왕 때 일이다.

왕이 수도로 돌아오는 도중 욕돌역에 이르자, 국원경의 사신 용장
대아찬이 사사로이 잔치를 베풀어 왕과 여러 시종들을 대접하였다.
음악이 시작되자 나마 긴주의 아들 능안이 열다섯 살이었는데,
가야의 춤을 추어 보였다. 왕은 그의 얼굴과 거동이 단아하고 고운
것을 보고는 앞에 불러 등을 어루만지며 금잔으로 술을 권하고 폐
백을 자못 후하게 주었다.

-김부식, <삼국사기> 중에서

가야가 망한 뒤, 백여 년이 지난 뒤에도 왕이 참석한 잔치에서 가야
춤을 추는 아이가 있었다는 기록이다. 열다섯 살 능안은 무척 아름다
운 소년이었나 보다. 춤도 우아하게 잘 추고. 능안은 어떻게 가야 춤을
익히게 되었을까? 능안이 추었다는 가야의 춤사위는 어떠했을까? 상

세한 내막을 알 수는 없지만, 능안의 춤은 가야 문화가 백성들 사이에서 잊히지 않고 '가만히' 존재했다는 명백한 증거이다.

그러고 보면 우륵의 가야금만 신라에 전해진 것이 아닐 것이다. 우리에게 알려진 사실이 적을 뿐 여러 분야의 '능안들'이 가야의 문화를 줄기차게 잇고 있었을 것이다.

흔히 신라에서 출세한 가야 유민들로는 금관가야 출신의 김유신, 대가야 출신의 강수와 우륵을 손꼽는다. 각각 무·문·예에서 두각을 나타낸 이들이다.

신라 통일기에 유학과 문장으로 이름을 날린 강수에 얽힌 일화는 뜻깊다. 무열왕이 출신지를 묻자 강수는 '임나가량인', 즉 가야 어느 지방 사람이라고 대답했다고 한다. 강수가 가야인이라는 '자의식'을 지닌 채 신라 사회에서 활동했다는 사실을 짐작할 수 있다.

어디 강수뿐이랴. 먼 훗날의 가야인들도 가야를 잊지 않기 위해, 땅 이름에 길 이름에 학교 이름에 아파트 이름에 상점 이름에 '가야'를 새겨 놓았다. 옛 가야의 땅인 김해, 함안, 동래, 고령을 가면 길거리에서 '가야'를 내건 간판을 흔히 만날 수 있다.

비록 역사 기록에서 사라졌다고 해도, 가야가 빚어낸 곰살궂은 기억

과 세련된 전통은 가야가 망한 100년 뒤나, 1,500년 뒤나 연면히 내려

오고 있는 것이다.

이러고 보면 가야를 '잊힌 왕국'이라고 했다지만, 기나긴 한반도의

역사 속에서 어쩌면 가야를 '잠시' 놓친 것일지도 모른다.

가야에서 보낸 단 하루.

비록 짧지만 강렬했던 가야 하루치기 여행을 통해서, 왕부터 귀족,

무사, 촌장 같은 지배층과 장인, 상인, 여염집 여인, 어부, 농부, 점쟁이,

아이들 같은 보통 가야 사람에 이르기까지 각계각층의 가야 사람들을

만난 것이 가장 보람차다.

우리가 본 가야인은 무엇보다 강한 개성을 지녔으면서도 다양성을

받아들일 줄 아는 넉넉한 품성의 사람들이었다. 가야인의 강한 개성

은 세련된 미의식을 드러내는 토기와 공예품을 비롯한 문화 전반에서

화려하게 꽃피웠다. 남과 다른 독특한 개성이 있어야 무한 경쟁 시대

에 살아남을 수 있는 우리가 가야를 돌아보아야 할 이유이다.

자신과 다른 것을 포용하는 능력은 '가야에 속한 작은 나라들'의 생

존 비법이자 사회 발전의 동력이었다.

안으로는 서열에 따른 수직적 사회가 아닌 직업에 따른 '수평적인

사회 질서'가 주축이 된 독특한 가야 문화를 이루어 냈다. 이런 점에서 가야 사회는 철저하게 골품제에 얽매여 폐쇄적이었던 신라 사회와 대조된다. 무엇보다 수평적인 네트워크가 중요한 현대 사회에서 가야를 되새김질해야 하는 또 하나의 이유이다.

밖으로는 '가야에 속한 작은 나라들'은 개방적인 태도를 취함으로써 이웃 나라들과 활발한 대외 교류를 할 수 있었다.

우리 시대는 영호남의 지역 갈등을 봉합하고, 남북한의 평화로운 공존을 꾀하며, 나라 간의 치열한 무역 전쟁과 세계화의 파고를 넘어서야 하는 과제를 짊어지고 있다. '개방적이고 네트워크 중심 사회'인 가야 사회에서 어쩌면 미래의 길을 찾을 수 있지 않을까.

바로 '지금'이 가야를 제대로 보고 되찾을 수 있는 기회일지도 모른다.

문헌

〈삼국사기〉

〈삼국유사〉

〈삼국지 위서 동이전〉

〈일본서기〉

전시 및 도록

가야의 집, 국립김해박물관 특별전, 2019

국립김해박물관 개관 20주년 기념 특별전, 2018

〈대가야박물관〉, 2018

〈리, 고대인의 신〉, 복천박물관, 2010

〈복천박물관 상설 전시 도록〉, 2011

〈비사벌 송현이의 기억〉, 울산대곡박물관, 2011

선사 고대 옥의 세계, 복천박물관, 2013

〈안라국의 상징 불꽃 무늬 토기〉, 2005

영혼의 전달자, 국립김해박물관, 2004

〈인간, 바다, 그리고 삶〉, 복천박물관, 2011

철의 역사, 국립청주박물관, 1997

〈한국고대의 갑옷과 투구전〉, 국립김해박물관, 2002

〈함안 말이산 4호분 특별 전시 도록〉, 2007

함안박물관 개관 10주년 기념 특별전, 말이산, 2013

〈함안박물관 소장 유물 도록〉, 2015

도서

국립김해박물관, 〈가야로 가는 길〉, 2014

백승옥, 〈가야 각국사 연구〉, 혜안, 2003

중앙문화재연구원, 〈가야 고고학 개론〉, 진인진, 2016

부산대학교 한국민속문화연구소, 〈가야 고고학의 새로운 조명〉, 혜안, 2004

조원영, 〈가야, 그 끝나지 않은 신화〉, 혜안, 2008

남재우, 〈가야, 그리고 사람들〉, 도서출판 선인, 2011

국립 가야문화재연구소, 〈가야 사람 학제간 첫 복원 연구〉, 2010

남재우, 김주용, 천성주, 성진석, 〈가야인의 삶, 그리고 흔적〉, 도서출판 선인, 2011

권주현, 〈가야인의 삶과 문화〉, 혜안, 2009

인제대학교 가야문화연구소, 김해시, 〈가야의 포구와 해상 활동〉, 주류성, 2012

한국고대사학회, 〈대가야의 성장과 발전〉, 서경 2004

권오영, 〈가야를 왜 철의 왕국이라고 하나요?〉, 다섯수레, 2011

주보돈, 〈가야사 이해의 기초〉, 주류성, 2018

신서원 편집부, 〈가야 제국의 철〉, 신서원 1995

이영식, 〈가야 제국사 연구〉, 생각과종이, 2016

강승희 등, 〈가야지구의 마구〉, 복천 박물관, 2015

윤석효, 〈국내외 사서를 통해 본 가야사 탐구〉, 한성대학교출판부, 2008

경남발전연구원 역사문화센터 엮음, 〈고고학을 통해 본 아라가야와 주변 제국〉, 학연문화사, 2013

김태식, 〈미완의 문명 7백년 가야사〉 1, 2, 3, 푸른역사, 2002

복천 박물관, 〈변진독로국〉, 2018

박창희, 〈살아 있는 가야사 이야기〉, 이른아침, 2005

한국역사연구회고대사분과, 〈삼국시대 사람들은 어떻게 살았을까?〉 청년사, 1998

KBS 역사스페셜 제작팀, 〈역사 스페셜〉 1~7, 효형출판, 2004

이영식, 〈이야기로 떠나는 가야 역사 여행〉, 지식산업사, 2009

매일신문 특별취재팀, 〈잃어 버린 왕국 대가야〉, 창해, 2005

김종성, 〈철의 제국 가야〉, 역사의 아침, 2010

한국생활사박물관 편찬위원회, 〈한국생활사박물관 06 발해 가야 생활관〉, 2002

김훈, 〈현의 노래〉, 문학동네, 2012

히스토리카한국사 편찬위원회, 〈히스토리카 한국사〉: 신라+가야, 이끌리오, 2009

논문

이영식, 가야인의 시간 의식과 가야금 12곡, 한국학연구원 학술대회, 2006

이영식, 가야인의 시간 의식과 연중행사, 창원박물 6집, 2004

손명조, 낙동강 하류역의 고대 철 생산, 국립 박물관 동탄학술대회, 2001

김재홍, 대가야 지역 철제농기구의 부장 양상과 그 의의, 고대사학회 학술발표회, 2003

PDF

http://www.gayatumuli.kr (가야 고분군 세계유산등재추진단)

박천수, 가야와 왜의 교류의 변천과 역사적 배경

박천수, 가야의 대외 교류

영상

철갑옷의 비밀 1부 그 많은 철은 어디에서 왔을까, 문화유산채널 (2015.5.8)

14쪽 경남 김해 분산에서 본 김해시 전경_국립중앙박물관 16쪽 김해 구지봉 고인돌_국립중앙박물관 18쪽 김해 대성동 고분군_가야고분군세계유산추진단 소장, 국립중앙박물관 제공 21쪽 김해 수로왕릉 납릉정문의 쌍어문_국립중앙박물관 22쪽 파사 석탑_국립중앙박물관 23쪽 김해 수로왕릉_국립중앙박물관 / 김해 수로왕비릉_국립중앙박물관 30쪽 대장장이신 벽화(집안 오회분 4호 무덤)_국립중앙박물관 31쪽 쇠집게_국립김해박물관 / 쇠망치_국립김해박물관 / 쇠모루_국립김해박물관 35쪽 판갑옷_국립중앙박물관 38쪽 새 모양 토기_국립김해박물관 39쪽 판갑옷_복천박물관 소장, 국립김해박물관 제공 / 새 모양 토기_국립김해박물관 소장, 국립중앙박물관 제공 / 새 무늬 청동기_국립진주박물관 소장, 국립김해박물관 제공 41쪽 김해 회현리 패총_이현태 44쪽 집 모양 토기(복원품)_국립중앙박물관 / 집 모양 토기_국립김해박물관 45쪽 집 모양 토기_두류문화연구원 소장, 국립중앙박물관 제공 48쪽 집 모양 토기_국립중앙박물관 / 집 모양 토기_국립중앙박물관 49쪽 집 모양 토기_국립경주박물관 / 집 모양 토기_국립중앙박물관 51쪽 옻칠 부채_국립김해박물관 52쪽 목걸이_국립진주박물관 소장, 국립중앙박물관 제공 / 목걸이_국립진주박물관 소장, 국립중앙박물관 제공 / 목걸이_대가야박물관 소장, 국립중앙박물관 제공 / 목걸이_국립경주박물관, 대가야박물관 소장, 국립중앙박물관 제공 / 굽은 옥_국립김해박물관 소장, 국립중앙박물관 제공 / 수정 목걸이_국립김해박물관 54쪽 항아리_부산대학교박물관 소장, 국립김해박물관 제공 / 56쪽 시루_국립김해박물관 / 부뚜막 모양 토기_국립중앙박물관 소장, 국립김해박물관 제공 57쪽 칸막이 토기_부산대학교박물관 소장, 국립김해박물관 제공 / 나무 식탁_부산대학교박물관 소장, 국립김해박물관 제공 58쪽 신선로 모양 토기_동의대학교박물관 소장, 국립김해박물관 제공 / 뚜껑 있는 항아리_대가야박물관 59쪽 손잡이 달린 잔_국립김해박물관 / 여러 잔 토기_계명대학교박물관 소장, 국립김해박물관 제공 61쪽 신발 모양 토기_리움 미술관 소장, 문화재청 제공 / 짚신 모양 토기_국립진주박물관 소장, 복천박물관 제공 63쪽 뼈바늘_국립중앙박물관 소장, 국립김해박물관 제공 / 가락바퀴_부산대학교박물관 소장, 국립김해박물관 제공 68쪽 말 탄 사람이 새겨진 단지_동의대학교박물관 소장, 국립김해박물관 제공 69쪽 금관가야 토기들_국립김해박물관 소장, 국립중앙박물관 제공 73쪽 기호가 새겨진 토기 조각_국립김해박물관 소장, 국립중앙박물관 제공 / 기호가 새겨진 토기 조각_국립김해박물관 / 항아리_국립김해박물관 소장, 국립중앙박물관 제공 / 그릇 받침_국립김해박물관 소장, 국립중앙박물관 제공 74쪽 그릇 받침_대가야박물관 75쪽 그릇 받침_국립중앙박물관 77쪽 여러 면 옥_국립김해박물관 / 옥 꾸미개_국립김해박물관 / 목걸이_국립김해박물관 / 금박 유리옥_국립김해박물관 78쪽 낚싯바늘_국립김해박물관 79쪽 쇠작살_국립김해박물관 82쪽 말 띠 드리개_와카야마시립박물관 / 말 투구_와카야마시립박물관 / 굽다리 항아리_죠요시교육위원회 / 항아리_오사카부문화재센터 / 덩이쇠_경성대학교박물관 소장, 국립김해박물관 제공 / 배 모양 토기_국립김해박물관 소장, 국립중앙박물관 제공 83쪽 바람개비 모양 청동기_국립김해박물관 소장, 국립중앙박물관 제공 / 돌 화살촉_경성대학교박물관 소장, 국립김해박물관 제공 / 옥 화살촉_국립김해박물관 소장, 국립중앙박물관 제공 86쪽 화천_국립중앙박물관 소장, 국립김해박물관 제공 88쪽 청동투겁창_국립김해박물관 / 원통 모양 청동기_국립김해박물관 / 손잡이 달린 항아리_대성동고분박물관 소장, 국립김해박물관 제공 89쪽 오수전_국립중앙박물관 소장, 국립김해박물관 제공 / 청동 거울_국립김해박물관 소장, 국립중앙박물관 제공 93쪽 점치는 뼈_국립김해박물관 101쪽 청동 말방울_국립진주박물관 소장, 국립김해박물관 제공 / 용·봉황 장식 큰 칼_경상대학교박물관 소장, 국립김해박물관 제공 102쪽 창녕 토기_창녕박물관 104쪽 로만 글라스_국립중앙박물관 / 스에키 토기_동아대학교박물관 소장, 국립진주박물관 제공 105쪽 청자 계수호_국립전주박물관 106쪽 아라가야 토기_국립김해박물관 외 소장, 국립중앙박물관 제공 / 소가야 토기_국립진주박물관 소장, 국립중앙박물관 제공 107쪽 대가야 토기_국립중앙박물관 외 / 비화가야 토기_창녕박물관 / 금관가야 토기_국립김해박물관 외 소장, 국립중앙박물관 제공 110쪽 전 고령 금관 및 장신구 일괄_리움 미술관 소장, 문화재청 제공 / 복천동 금동관_국립김해박물관 소장, 국립중앙박물관 제공 / 지산동 금동관_계명대학교박물관 소장, 국립김해박물관 제공 111쪽 청동칠두령_복천박물관 소장, 문화재청 제공 / 철제 갑옷 일괄_복천박물관 소장, 문화재청 제공 / 도기 기마 인물형 뿔잔_국립경주박물관 115쪽 함안 말이산 고분군_가야고분군세계유산추진단 소장, 국립중앙박물관 제공 118쪽 아라가야 무늬 있는 그릇 뚜껑_국립김해박물관 소장, 국립중앙박물관 제공 / 토제 귀고리_국립김해박물관 / 목걸이_국립김해박물관 / 목걸이_국립진주박물관 소장, 국립중앙박물관 제공 119쪽 재갈_국립김해박물관 / 말 띠 꾸미개_국립김해박물관 / 말 띠 드리개_국립김해박물관 / 말 갑옷_국립김해박물관 121쪽 귀고리_국립진주박물관 소장, 국립중앙박물관 제공 / 귀고리_국립중앙박물관 / 귀고리_국립김해박물관 외 소장, 국립중앙박물관 제공 / 귀고리_국립중앙박물관 / 귀고리_국립진주박물관 소장, 국립중앙박물관 제공 / 귀고리_국립진주박물관 소장, 국립중앙박물관 제공 / 귀고리_국립김해박물관 소장, 국립중앙박물관 제공 / 귀고리_국립진주박물관 소장, 국립중앙박물관 제공 / 반지_국립김해박물관 소장, 국립중앙박물관 제공 / 팔찌_국립중앙박물관 123쪽 굽다리 접시_국립김해박물관 / 화로 모양 그릇 받침_국립김해박물관 124쪽 사슴 모양 뿔잔_두류문화연구원 소장, 국립중앙박물관 제공 130쪽 고령 장기리 암각화_대가야박물관 133쪽 그물추_국립김해박물관 / 생선 뼈 담은 굽다리 접시_국립경주박물관 소장, 국립중앙박물관 제공 134쪽 안석과 지팡이_경기도박물관(위탁), 국립중앙박물관 제공 135쪽 끌 모양 철기_대가야박물관 / 손칼 모양 철기_대가야박물관 / 쇠살포_대가야박물관 136쪽 어정_고령군청 144쪽 고령 지산동 고분군_대가야박물관 151쪽 지산동 금동관_계명대학교박물관 소장, 국립김해박물관 제공 152쪽 '대왕'이 새겨진 긴목항아리_충남대학교박물관 소장, 국립김해박물관 제공 156쪽 토우 붙은 긴목항아리_국립경주박물관 159쪽 흙 구슬_국립김해박물관 160쪽 야광조개 국자_대가야박물관 / 닭 뼈 보이는 토기_대가야박물관 161쪽 굽다리 등잔 항아리박물관 165쪽 기꽂이_경상대학교박물관 소장, 국립중앙박물관 제공 / 용·봉황 장식 큰 칼_경상대학교박물관 소장, 국립김해박물관제공 166쪽 철 갑옷 입은 개마무사 벽화(집안 통구 12호 무덤)_국립중앙박물관 176쪽 정견모주_대가야박물관 소장, 게티이미지 제공

[일러두기]
98쪽의 가야 제국 지도는 경북대학교 박천수 교수의 학설을 참고한 것입니다.

기획 및 집필 **김향금**

서울대학교에서 지리학과 국문학을 공부한 뒤, 같은 학교 대학원에서 고전 문학을 전공했습니다.
어린이와 청소년을 위한 우리나라의 역사, 지리, 인물 논픽션 책을 쓰거나 만들어 왔습니다.
앞으로 성인을 대상으로 세계 문화를 소개하는 책을 쓸 계획입니다.
만든 책으로 '생활사 박물관', '한국사 탐험대', '우리 알고 세계 보고' 시리즈가 있고,
쓴 책으로 〈경성에서 보낸 하루〉, 〈조선에서 보낸 하루〉, 〈아무도 모를 거야 내가 누군지〉,
〈세상을 담은 그림 지도〉, 〈예술가가 사랑한 아름다운 유럽 도시〉 등이 있습니다.

그림 **이희은**

의상디자인을 전공하고 한국패션협회 콘테스트에서 대상을 수상했습니다.
세계 디자인 올림픽 패션 일러스트 전시, 뉴욕 패션 일러스트레이션 초대 전시 등을 진행했으며
광주국제예술제, LG생활건강, 기아자동차와도 연계하여 다양한 협업 활동을 하고 있습니다.
현재는 아이들이 좋아 어린이 책을 쓰고 그리는 일도 활발히 하고 있습니다.
그림책 〈콩콩콩〉을 쓰고 그렸으며 〈생선의 발견〉, 〈주렁주렁 열려라〉, 〈우리 집에 온 노벨상〉, 〈딱 한마디 과학사〉,
〈나만 몰랐던 잠 이야기〉 등의 어린이 책에 그림을 그렸습니다. (홈페이지 www.hieun-i.com)

웅진주니어
가야에서 보낸 하루

초판 1쇄 발행 2019년 11월 29일

기획 및 집필 김향금 I **공동 기획 및 감수** 국립중앙박물관 I **그림** 이희은

발행인 이재진 I **도서개발실장** 조현경

편집장 안경숙 I **디자인** 민트플라츠 송지연

마케팅 이현은, 정지운, 양윤석, 김미정 I **제작** 신홍섭

펴낸곳 (주)웅진씽크빅 I **주소** 경기도 파주시 회동길 20 (우)10881 I **주문전화** 02)3670-1005, 031)956-7325, 7065

팩스 031)949-1014 I **내용문의** 031)956-7442 I **홈페이지** wjbooks.co.kr/WJBooks/Junior I **블로그** wj_junior.blog.me

페이스북 facebook.com/wjbook I **트위터** @wjbooks I **인스타그램** @woongjin_junior

출판신고 1980년 3월 29일 제406-2007-00046호 I **제조국** 대한민국

글 ⓒ 김향금 · 기획 ⓒ 국립중앙박물관 · 그림 ⓒ 이희은
저작권자와 맺은 특약에 따라 검인을 생략합니다.

ISBN 978-89-01-23815-9 73910
이 도서의 국립중앙도서관 출판예정도서목록(CIP)은 서지정보유통지원시스템(http://seoji.nl.go.kr)과
국가자료종합목록시스템(http://www.nl.go.kr/kolisnet)에서 이용하실 수 있습니다. (CIP 2019045654)

잘못 만들어진 책은 바꾸어 드립니다.
주의 1. 책 모서리가 날카로워 다칠 수 있으니 사람을 향해 던지거나 떨어뜨리지 마십시오. 2. 보관 시 직사광선이나 습기 찬 곳은 피해 주십시오.

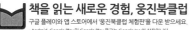 **책을 읽는 새로운 경험, 웅진북클럽**
구글 플레이와 앱 스토어에서 '웅진북클럽 체험판'을 다운 받으세요.
체험판 · Android, Google Play 및 Google Play 로고는 Google Inc.의 상표입니다.
· Apple 및 Apple 로고는 미국과 그 밖의 나라에 등록된 Apple Inc.의 상표입니다. App Store는 Apple Inc.의 서비스 상표입니다.